Terres de Russie

Elisabeth Ingles

Quatre Saisons

Directeur de publication: Jean Paul Manzo
Maquette: Russell Stretten Consultancy
Texte: Elisabeth Ingles
Editeur associé: Cornelia Sontag
Assistante éditoriale: Nathalie Meyer

Pages précédentes :
24- Viatcheslav Schwarsz

Cortège de la tsarine se rendant à la prière sous le règne d'Alexis Mikhaïlovich, 1868

Imprimé et relié en Europe 1999
ISBN : 1 85995 523 1

Terres de Russie

Quatre Saisons

Elisabeth Ingles

Sommaire

La Terre et l'Ame

Le ravin enivré fait le fou,

Le soleil chauffe avec énergie,

Le printemps besogne tout son saoul

Tel un vaillant valet d'écurie.

La neige souffre et s'alanguit

Aux veinules bleuies de la branche.

Mais l'étable chaude fume et vit.

Quelle santé aux dents de la fourche !

Ah ! Ces nuits, ces journées et ces nuits !

Les doigts du gel fondant aux toitures,

La mitraille de pluie à midi,

Et les ruisseaux l'incessant murmure !

Dans la neige les pigeons picorent.

L'étable et l'écurie, ouvrez-les !

Alors le fumier qui revigore

Exhale au loin des relents d'air frais.

Boris Pasternak, *Mars*

Pages précédentes :

162- Vassili Sourikov

Vue de la statue de Pierre le Grand sur la place du Sénat à Saint-Pétersboug, 1870
Huile sur toile. 52 x 71 cm
Musée russe, Saint-Pétersbourg

8- Ivan Chichkine

Midi dans les environs de Moscou, 1869
Huile sur toile.
111,2 x 80,4 cm
Galerie Trétiakov, Moscou

Dans ce poème très vivant sur le printemps, Pasternak nous présente une terre qui semble s'exprimer, vivre de façon presque physique. Cette terre reflète l'esprit russe. La terre de Russie a toujours été étroitement liée à l'âme de son peuple. Elle le nourrit. Et lui, il l'aime d'un amour profond et durable. De l'amour que l'on porte à une mère. En fait, « Mère Russie » est une expression pleine de ce dernier sens, et n'est pas sans rappeler celle de « Mère Nature ».

Notre voyage à travers les paysages romanesques de ce vaste pays vise à s'approcher et à découvrir l'âme russe, dont la complexité ressemble à une tapisserie tissée à partir de quelques fils solides. L'amour pour la terre est renforcé par une foi religieuse très forte. La dévotion à la

162- Vassili Sourikov

Vue de la statue de Pierre le Grand sur la place du Sénat à Saint-Pétersboug, 1870
Huile sur toile. 52 x 71 cm
Musée russe, Saint-Pétersbourg

famille est une autre partie de la trame. Cette dévotion, si elle est vouée aux vivants concerne également les êtres décédés et les êtres à venir. Tous ces éléments se combinent pour former une source spirituelle inextinguible qui soutient des millions de russes depuis des siècles.

Dans cet ouvrage nous explorerons les grands espaces et les villes russes dans toutes leurs variations saisonnières, du printemps à l'hiver, pour retrouver encore le printemps. Avant cela, cependant, nous tenterons d'expliquer ce que l'on entend par les mots « âme russe ». Il sera tout d'abord utile de se pencher sur les événements historiques qui ont modelé la terre et le peuple depuis quelques siècles. Ensuite, en guise d'introduction à notre voyage à travers les saisons, nous résumerons brièvement l'histoire de la peinture de paysages.

L'immensité du territoire de la Russie est aussi difficile à appréhender pour un étranger que la possession d'une fortune illimitée l'est pour un mendiant. Et pourtant, chaque Russe, qu'il vienne de la belle et glacée Saint-Pétersbourg [162] ou du climat chaud, presque méditerranéen de la côte de la Mer Noire [156], est tenaillé par une passion

156- Moscou

Sébastopol. La guerre de Crimée
Les buttes de Fedunino et le pont de la Taverne

pour sa terre natale. Et cette passion, qui est l'essence même de l'âme russe, a survécu à tous les caprices que l'histoire lui a infligé.

La « Russie » correspond dans notre ouvrage au territoire de la Fédération Russe récemment constituée, augmenté de la Biélorussie et de l'Ukraine. Le sentiment patriotique des citoyens des anciennes républiques soviétiques ne fait aucun doute. Mais les origines ethniques de la population de l'est et du sud de l'Oural, ainsi que l'âme d'un Kirghize ou d'un Ouzbek, quelle que soit la poésie qu'il puisse trouver à son environnement, ne

196- Nicolaï Roerich

Le baiser à la terre
Esquisse de décor. Acte Ier du "Sacre du Printemps", d'Igor Stravinski, 1912
Détrempe sur carton.
62 x 94 cm
Musée russe, Saint-Pétersbourg

vibrent pas de la même façon que celles d'un Russe né au sein de la mère patrie.

Qu'est exactement la mère patrie ? Son origine, perdue dans les brumes du temps, couvre deux éléments. Cette terre païenne est évoquée avec beaucoup de fougue par les rythmes viscéralement excitants du *Sacre du Printemps* d'Igor Stravinski et par les décors fantastiques dessinés en 1912 par Nikolaï Roerich pour ce ballet [196]. Les régions du nord sont couvertes par une forêt vierge sombre, mystérieuse et menaçante, qui s'étend, à l'époque préhistorique, de l'ouest de l'Europe à la Sibérie. Au sud de cette forêt, la steppe couvre l'est. Désolée et inhospitalière, elle sert de refuge à une myriade de tribus nomades. L'aquarelle romantique du sibérien Vassili Sourikov intitulée *Steppe dans la région de Minoussins* datant de 1873 donne une idée juste du paysage saisissant de la contrée [164]. Ces deux régions contrastées sont d'abord dirigées depuis Kiev et sont christianisées au Xe siècle.

164- Vassili Sourikov

Steppe dans la région de Minoussins, 1873
Aquarelle sur papier.
136 x 31,8 cm
Galerie Trétiakov, Moscou

201- Isaac Levitan

Au-dessus du repos éternel, 1894
Huile sur toile. 150 x 206 cm
Galerie Trétiakov, Moscou

A partir du XIIIe siècle, Moscou prend de l'importance et devient la ville dominante. Ses princes bataillent souvent contre de terrifiantes hordes tatares venant de Mongolie et finissent par contrôler l'ensemble de ce que nous considérons aujourd'hui comme la Russie.

Durant plus d'un millénaire, les diverses populations de cet énorme territoire (tous ne sont pas d'origine slave, il s'agit aussi d'indigènes ou d'envahisseurs) se sont fondues en un peuple unique, les Russes, qui ont une qualité indéfinissable exprimée dans le mot « âme ». L'âme russe est liée au paysage, à la fois sur le plan spirituel et physique. Un Russe déraciné de son pays ressent une immense nostalgie pour ces vastes espaces, comme Levitan l'a précisément exprimé dans *Au-dessus du repos éternel* [201],

75- Peintre anonyme

Courses de traîneaux dans le parc Petrovski, vers 1840

111- Ivan Aïvasovski

Saint-Pétersbourg sur la glace de la Néva. Années 1870
Huile sur toile. 22 x 16,6 cm
Musée d'art russe de Kiev

avec ses lacs, ses forêts et ses steppes qui ont jusqu'ici résisté à la domination de la technologie et de l'industrie en raison de leur étendue. Quand Moscou devient la capitale, c'est une ville accueillante. De petites allées longent des maisons en bois verni décorées de découpes couleur pain d'épices. De magnifiques églises en pierre et des palais s'y dressent avec élégance. L'âme russe se sensibilise aux paysages urbains. Un tableau anonyme des années 1840, *Courses de Traîneaux dans le parc Petrovsky* [75], montre une scène charmante à l'extrémité de la ville, avec des arbres et un majestueux palais au second plan. La forêt vierge atteint les remparts de la ville : encore aujourd'hui, il existe un square Borovaya, l'un des plus anciens de Moscou, et une Porte Borovitsky au Kremlin (Le mot *bor* signifie sapin). La première forteresse du Kremlin, comme cette porte, a été construite en pin, car cet arbre abondait dans les bois denses des alentours.

Au fur et à mesure que le pouvoir de Moscou grandit et est confronté à de grands dangers, les invasions des féroces tatars de l'est et les incursions de chevaliers suédois et allemands parfaitement entraînés et équipés venant de l'ouest, se développe un puissant patriotisme. Le premier héros de cette ferveur patriotique est au XIIIe siècle le Prince Alexandre Nevski, personnage héroïque qui par deux fois repousse la menace de l'est et consolide le pouvoir de sa jeune nation. Ses exploits sont commémorés en 1938 par un film de Eisenstein dont la musique est écrite par Prokofiev. L'ambiance de la bataille contre les chevaliers germaniques sur la glace du lac Chudskoye est grisante : « *Aucun ennemi ne saurait marcher sur la terre russe, et aucune troupe étrangère ne saurait l'attaquer !* » Un fantôme de cette prouesse s'est peut-être faufilé dans l'atmosphère du tableau de Ivan Aivazovski (1817 - 1900) intitulé *Saint-Pétersbourg sur la glace de la Néva* [111]. Le temps hivernal en est le protagoniste, et les blocs de glace constituent un obstacle effrayant pour les chevaux qui luttent vaillamment pour tirer le traîneau à travers la rivière gelée.

Moscou a depuis toujours assumé un statut presque mythique de bastion de l'Eglise Orthodoxe Russe. Cela donne à la ville une grande autorité sur l'ensemble des terres russes. Ce magistère moral permet une facile identification à un Etat centralisé. La ferveur religieuse, toujours fermement reconnue en 1912, lorsque cette photographie de prière publique sur la Place Rouge [158] est prise, forme encore un autre aspect de l'âme russe. Elle mêle et renforce ses tendances patriotiques déjà fortes. Au XVe siècle, Moscou est réellement le centre, dans tous les sens du terme, séculaire, religieux, économique et culturel, d'une terre récemment unifiée et dont le grand Prince devient tout puissant. C'est à cette époque qu'il est appelé « Tsar » (du latin *Caesar*, empereur) : Ivan III est le premier à se nommer ainsi, avec raison d'ailleurs, puisque en vertu de son mariage il est aussi l'héritier de Byzance. Au XVIe siècle, Moscou compte cent mille habitants, ce qui

158- Service religieux sur la place Rouge
Moscou, 1912

est largement plus que toute autre ville à la même époque dans le monde occidental. La dynastie des Romanov qui arrive sur le trône en 1613 avec le tsar Mikhail I, garde le pouvoir jusqu'aux tragiques événements de 1917. Au couronnement de Pierre le Grand, ceux qui prêtent serment d'allégeance doivent le faire non seulement au Tsar mais aussi à l'Etat. Ceci a pour effet de renforcer la notion ordinaire de loyauté chez les Russes, et encourage le sentiment nationaliste qui, nous l'avons constaté, est un élément non négligeable de l'âme russe.

Les représentations de villes, nous l'avons observé, font écho à l'amour des Russes pour leur patrie de la

120- Isaac Levitan

Le Monastère tranquille, 1890
Huile sur toile. 87,5 x 108 cm
Galerie Trétiakov, Moscou.

même manière que les paysages des campagnes et Moscou offrent de magnifiques œuvres aux XVIIIe et XIXe siècles [120]. De beaux bâtiments au cœur et aux alentours de la ville existent toujours, particulièrement les édifices religieux, comme l'attestent les photographies présentées sur ces pages : La Trinité, le Monastère Saint-Serge [77] construit sur une longue période entre le XVe et le XVIIIe siècle, et le Couvent Novodevichy [76], splendide sous sa couverture de

77- Serguiev-Possad

La laure de La Trinité - Saint-Serge, XVe et XVIIIe siècles

132- Vassili Kandinsky

Moscou, Place Zubovskaïa, vers 1916
Huile sur carton.
34,4 x 37,7 cm
Galerie Trétiakov, Moscou

76- Anonyme

Moscou
Monastère Novodevichi,
Ensemble architectural
des 16ème et 18ème siècles

(Bas) 74- Gérard de la Barthe

Vue de Moscou à partir du Grand Palais du Kremlin
Années 1790

131- Vassili Kandinsky

Moscou, boulevard Smolenski, vers 1916
Huile sur toile. 26,8 x 33 cm
Galerie Trétiakov, Moscou

neige. Un groupe intéressant de bâtiments au sud-est de la ville, dont le dernier est construit au XVIe siècle, est une commande du Prince Vassili III pour marquer la victoire contre la Pologne à Smolensk. Il est pendant longtemps une source d'inspiration pour les rites religieux à travers lesquels le peuple russe peut exprimer son amour de Dieu. Le délicat tableau peint par le visiteur français Gérard de la Barthe, *Vue de Moscou depuis les balcons du Kremlin* est l'une des premières vues topographiques de la ville. Il date des années 1790, avant la guerre contre Napoléon et les dégâts qu'elle occasionne. Deux représentations de Vassili Kandinsky [131, 132] montrent la ville dans sa parure d'hiver et d'été. Ces tableaux peuvent être considérés

comme figuratifs, contrairement aux techniques abstraites familières à Kandinsky, mais ils sont néanmoins constitués de blocs de couleur non-figuratifs, en harmonie avec ses expérimentations de Murnau. Il les peint lors de l'une de ses visites revenant d'Allemagne. Véritable Russe, en dépit de ses longs séjours à l'étranger, Kandinsky a besoin de

155- Moscou
Une vue du Kremlin au crépuscule

118- Apollinari Vasnetsov

Le vieux Moscou.
Une rue de Kitaï-Gorod au début du XVIIe siècle, 1900
Huile sur toile.
125 x 178 cm
Musée russe,
Saint-Pétersbourg.

A gauche
163- Vassili Sourikov

Vue du Kremlin, 1913
Huile sur toile. 29 x 48 cm
Galerie Trétiakov, Moscou

5- Saint-Pétersbourg
Vue du monastère Smolny

I- Saint-Pétersbourg
La cathédrale Saint-Isaac

198- Anna Ostroumova-Lebedeva

L'amirauté sous la neige.
1901
Gravure en couleur sur bois

110- Maxim Vorobyev

Cathédrale Saint-Isaac et statue de Nicolas Ier

195- Alexandre Benois

« Après lui partout le cavalier de bronze »
Frontispice du poème d'Alexandre Pouchkine
Le cavalier de bronze, 1905
Aquarelle et blanc de céruse sur papier. 23,7 x 17,6 cm
Musée Pouchkine, Moscou

revenir occasionnellement pour nourrir et revigorer sa force spirituelle.

Le Kremlin a toujours été le point de convergence de Moscou [155]. Etonnamment imposants et construits de façon anarchique, les cathédrales de la citadelle, les palais et les tours embrassent tous les styles et toutes les périodes architecturales. Leur diversité pose un défi à de nombreux artistes. Apollinari Vasnetsov (1856 - 1933) peint une

2- Saint-Pétersbourg
Monument de Nicolas Ier
(1856-1859,
par le sculpteur Klodt)
sur la place Saint-Isaac

scène de marché très vivante avec la citadelle en arrière plan, baignée dans une lueur chaude d'un marron doré [118]. Les formes fantastiques des toits dans le premier plan se mêlent avec bonheur aux fameux dômes à l'arrière, se dessinant dans le ciel crépusculaire. La vision de l'hiver de Vassili Sourikov est d'un aspect différent. Ici le jour est lugubre et les bâtiments semblent se serrer les uns contre les autres en quête de chaleur sous une épaisse couverture de neige [163].

L'invasion de la Russie par Napoléon et sa retraite de Moscou en 1812 est, plus que tout autre, l'événement qui consolide la ferveur patriotique dans les cœurs et les esprits du peuple. Les défenseurs décident de faire tout leur possible pour battre l'envahisseur. Une grande partie de Moscou est alors dévastée par les flammes. Les récoltes sont brûlées, les sources empoisonnées et les animaux tués. Comme le déclare Tolstoï dans *Guerre et Paix* : « *L'ennemi avance pour détruire la Russie, pour profaner les tombes de nos ancêtres, pour emporter nos épouses et nos enfants. Nous nous lèverons tous, chacun d'entre nous ira, pour notre père le Tsar ! Nous sommes Russes et nous donnerons notre sang pour défendre notre foi, le trône et la Mère Patrie ! Nous devons cesser de tempêter si nous sommes les fils de notre Mère Patrie ! Nous montrerons à l'Europe de quelle façon La Russie se lève pour défendre la Russie !* » (Adaptation). Après un tel sacrifice, Moscou personnifie l'esprit d'indépendance de la nation russe. Cette détermination devait être défiée tout aussi sévèrement lors de la seconde Guerre Mondiale. En effet, vingt millions de russes y périssent. Cette fois, c'est Saint-Pétersbourg qui est assiégée, durant 900 jours. Le peuple est réduit à manger des rats, les morts gisent sans être enterrés, mais l'indomptable esprit russe n'est jamais brisé.

Contrairement à Moscou, Saint-Pétersbourg, fondée en 1703 par Pierre le Grand (1672 - 1725), est construite d'une seule pièce. Bâtie dans un but précis, elle est le fruit du désir du tsar réformateur Pierre le Grand qui souhaite améliorer les contacts de sa nation avec le reste de l'Europe. Elle doit être la vitrine d'un « nouveau » pays. Cela ne se fait pas sans peine : les qualités traditionnelles de son peuple sont à l'opposé de cette nouvelle cité très européenne. Ce que Pouchkine appelle son « *apparence élégante et austère* » voit le jour. On emploie des architectes et des concepteurs italiens qui bâtissent une ville néoclassique et baroque d'un grand raffinement. Le couvent Smolny et la cathédrale [5], conçus par Francesco Bartolommeo Rastrelli au milieu du XVIIIe siècle, donnent un bon exemple du Baroque russe à son

époque la plus éclatante et la plus ornée. Il exprime glorieusement les convictions religieuses du peuple. Des bâtiments plus tardifs sont conçus pour harmoniser le concept original de la ville. La ligne d'horizon est dominée par la cathédrale de St Pierre et St Paul et la cathédrale St Isaac, peinte ici dans la gloire du

3- Saint-Pétersbourg
La colonne Alexandre et l'Etat-Major (1819-1829, par l'architecte Rossi) sur la place du palais

rayonnement du printemps [1]. On admire également le Ministère de la Marine, représenté sous un ciel hivernal de plomb dans une planche d'Anna Ostroumova-Lebedeva (1871 - 1955), qui se spécialise dans ce genre de paysages urbains.

L'histoire de Pouchkine *Le Cavalier de Bronze*, superbement illustrée par Alexandre Benois [195], s'inspire de la statue équestre du Tsar fondateur, l'esprit même de la ville, qui se fraye un passage vers le Neva. Pouchkine le décrit comme un monument dédié à l'empereur qui « *fit émerger la Russie* ». Comme le déclare Nikolaï Antsiferov : « *Quel geste éclatant, qui évoque cette question alarmante : que reste-t-il à venir? La victoire ou bien l'échec et la mort?* ». Maxim Vorobyev l'inclut dans une belle vue de la cathédrale St Isaac [110] (1844), le bâtiment monumental dominant avec bienveillance la foule pressée dans le square ensoleillé. La même scène en hiver est peinte par Sourikov aux alentours de 1870 (voir p. [1] [162]). Une autre sculpture équestre, celle de Nicolas I [2] met en valeur la représentation de la rue, même dans une morne journée d'hiver, alors que la Colonne Alexandre sur la place du Palais [3], ici photographiée sous un ciel de printemps incroyablement bas, est le parfait repoussoir de la grandeur du Quartier Général conçu au début du XIXe siècle par Carlo Rossi.

L'européanisation de la Russie se poursuit plus tard au cours du XVIIIe siècle, grâce à l'Impératrice Catherine II la Grande, née en Allemagne (elle règne de 1762 à 1796). Elle prend son rôle de dirigeante russe à cœur, convaincue qu'elle va être un personnage déterminant dans l'histoire de son pays adoptif. Elle déclare : « *Je ne souhaite que du bien au pays que Dieu m'a amené. Sa gloire me glorifiera aussi* ». Son amour pour le luxe et la beauté est bien connu. Elle est pour beaucoup dans la construction de magnifiques bâtiments au sein et autour de Saint-Pétersbourg. Ses architectes favoris sont l'Ecossais Charles Cameron, qui décore ses appartements dans le

6- Saint-Pétersbourg
Le pont Bossu

splendide complexe de Tsarkoye Selo, ainsi que les italiens Antonio Rinaldi et Giacomo Quarenghi. Aux environs de 1760, Rinaldi crée le palais Gatchina et le parc du même nom pour le Comte Grigory Orlov, l'amant de Catherine II la Grande, à qui elle a offert ce bien. Le charmant pont en dos d'âne sur la photographie [6] relie deux des îles du lac. Un personnage démesuré, monument dédié à l'Impératrice [4], préside les jardins enneigés du Théâtre Alexandrinsky, un joyau de la Perspective Nevski, la rue principale de Saint-Pétersbourg.

Belle et grande, la ville est une époustouflante réussite d'harmonie architecturale. Ses façades richement colorées éclairent un climat trop souvent sans joie. Cependant elle manque de vraie chaleur et sa splendeur ne loge pas un cœur accueillant. Peut-être ce manque a-t-il stimulé la ferveur et la passion que nous percevons chez les grands écrivains qui y ont fait leur carrière : Pouchkine, Gogol, Dostoïevski, Blok. Dostoïevski pense certainement à cette ville quand il écrit que l'homme russe « *acquerra la capacité de devenir plus russe seulement lorsqu'il sera plus européen* ». C'est sans doute la ville russe la plus européenne. Elle a créé sa propre culture, où la tradition artistique et culturelle a fleuri en même temps que la grande littérature, et où une tradition artistique et intellectuelle d'une totale originalité a été bafouée. Cette culture est indubitablement caractéristique de cette ville et dépend autant de sa propre mythologie que de sa beauté physique.

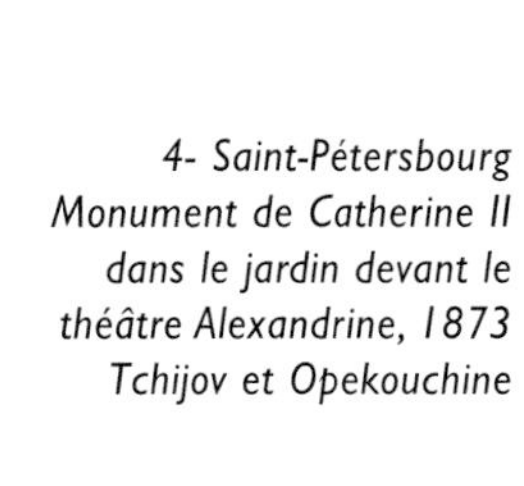

4- Saint-Pétersbourg
Monument de Catherine II dans le jardin devant le théâtre Alexandrine, 1873
Tchijov et Opekouchine

« Quelle est cette étrange conception de la « beauté », qui semble si limpide à ceux qui parlent sans réfléchir, mais sur laquelle les philosophes de toutes tendances et de différentes nationalités n'ont pu en un siècle et demi arriver à un accord ? Quelle est cette conception de la beauté qui porte la doctrine dominante de l'art ?

En russe, le mot Krasotá (beauté) signifie seulement ce qui est plaisant à voir.

(Léon Tolstoï, *Qu'est-ce que l'Art ?*)

La peinture de paysages ne se développe en Russie qu'au début du XIXe siècle, soit légèrement plus tard que dans les autres pays européens. L'art du portrait domine durant les dernières années du XVIIIe siècle. La France se targue d'une grande influence puisque l'Académie des Beaux Arts, fondée en 1757 à Saint-Pétersbourg, est dirigée en grande partie par des professeurs français.

Le mouvement romantique se développe rapidement. Il prend de l'ampleur en Russie grâce à la ferveur nationaliste suivant la défaite napoléonienne. Avec lui émerge un profond respect pour la terre. Les peintres romantiques, emplis d'amour pour leur campagne, ressentent le désir urgent d'exprimer sa beauté et de capturer ses traits, sa topographie sur leurs toiles. Karl Brüllov (1799 - 1852) est considéré comme l'un des fervents défenseurs du genre, mais c'est Ivan Aivazovski qui attire l'attention grâce à ses paysages marins évocateurs (voir p. [15] [111]), dont les plus réussis sont pour

60- Ivan Chichkine

Cueillette des champignons, 1870
Huile sur toile. 66,5 x 55,5 cm
Musée russe, Saint-Pétersbourg

300- Boris Koustodiev

L'Epiphanie. La bénédiction de l'eau, 1921
Huile sur toile. 89 x 74 cm
Collection P. Kapitsa, Moscou

le moins inspirés par le style de Turner. La Société pour l'Encouragement des Arts s'installe à Saint-Pétersbourg aux environs de 1820, et à bien des égards elle devient une pépinière de futurs talents.

Un nouveau courant se dessine au milieu du XIXe siècle. Il emporte avec lui les excès quelque peu complaisants qui gagnent les dernières années du Romantisme. Ce nouveau réalisme devient le porte drapeau de l'humeur de cette moitié de siècle dans tous les genres artistiques, en particulier la littérature et la peinture. Il reflète le renversement du climat politique qui est à présent perceptible. L'émancipation des serfs est discutée. Un besoin urgent d'une forme de gouvernement

41- Alexei Savrassov

Les freux sont revenus, 1871
Huile sur toile. 62 x 48,5 cm
Galerie Trétiakov, Moscou

34- Illarion Prianishnikov

Paysans revenant du marché, 1872
Huile sur toile, 48 x 71 cm
Galerie Trétiakov, Moscou

43- Mikhail Klodt

Le labour, 1871
Huile sur toile.
47,5 x 81,5 cm
Musée russe,
Saint-Pétersbourg

plus démocratique se fait sentir, en dépit de l'opposition d'une vaste armée de bureaucrates et d'officiels mesquins. Alexandre Pouchkine produit un flot d'histoires, de poèmes et de drames en vers durant sa courte vie, et Nicolas Gogol écrit des romans, des histoires et des pièces. Toutes leurs œuvres se nourrissent de ces nouveaux idéaux. Dans les beaux arts, le conflit entre l'ancienne garde, les adhérents de l'Académie de Saint-Pétersbourg, et les jeunes artistes propulsés par les forces de l'innovation atteint son point critique. Se sentant étouffés, incapables de donner libre cours à leurs croyances les plus profondément enracinées, quatorze jeunes membres de l'Académie font sécession et forment l'Artel des Artistes en 1863. Un corps moins révolutionnaire mais tout aussi influent, la Société des Amoureux de l'Art, voit le jour à la

62- Ivan Chichkine

Promenade en forêt, 1869
Huile sur toile collée sur carton. 12,8 x 19,6 cm
Galerie Trétiakov, Moscou

59- Ivan Chichkine

Soir, 1871
Huile sur toile. 71 x 144 cm
Galerie Trétiakov, Moscou

même époque à Moscou.

De ces associations naît la Société des Expositions d'Art Ambulant. Ses membres fondateurs sont Grigory Miasoyedov (1844 - 1911), qui a l'idée de créer ce groupe en 1867, et Vassili Perov (1834 - 1882), qui collabore avec enthousiasme à son installation. Celui-ci va se révéler être

168- Isaac Levitan

Jour ensoleillé. Printemps, 1876-1877
Huile sur toile. 53 x 40,7 cm
Collection particulière, Moscou

177- Isaac Levitan

Crépuscule, lune - Etude pour le tableau du même titre
Huile sur carton. 26 x 35 cm
Musée russe, Saint-Pétersbourg

l'un des plus grands talents produits par la Société. Illarion Prianishnikov et Alexei Savrasov (1830 - 1897) s'impliquent également dans le projet dès ses débuts. La Société a trois objectif principaux : amener l'art à tous les gens vivant dans les provinces et ne pouvant se rendre dans les expositions, promouvoir le goût pour l'art, et aider les membres à vendre leur travail.

La première exposition se déroule à Saint-Pétersbourg

145- Martiros Sarian

Arménie, 1923
Huile sur toile. 138 x 103 cm
Galerie de peinture d'Arménie, Erevan

189- Valentin Serov

Soir d'automne à Domotkanovo, 1886
Huile sur toile. 54 x 71 cm
Galerie Trétiakov, Moscou

Pages précédentes :

92- Constantin Youon

Buisson de Sureau, 1907

en 1871. Elle se déplace à Moscou quelques mois plus tard. *Les Freux sont revenus de Savrassov* [41] et *Retour bredouille du Marché de Prianishnikov* [34] comptent parmi les meilleures œuvres exposées. Le tableau de Prianishnikov, un coucher de soleil enneigé, contient un élément de la satisfaction d'une journée de travail bien fait, alors que les chevaux trottent lourdement dans la neige et que le chien renifle les environs. Au même moment, la tête baissée du personnage au premier plan trahit une fatigue trop grande pour qu'il puisse profiter du crépuscule. Un ami artiste écrit à propos du tableau de Savrassov, en le comparant avec d'autres œuvres de l'exposition, que « *il n'y a de l'âme que dans les freux* ». Le délicat tracé des bouleaux qui se détachent sur un ciel de printemps nuageux, surplombe la neige fondant en flaques. Pendant ce temps, l'activité foisonnante des bruyants freux construisant leurs nids (le spectateur peut presque les entendre) est une affirmation de la vie retournant une fois de plus à la nature.

Il apparaît inévitable que la Société se retrouve en concurrence avec l'Académie. Ses buts diffèrent grandement de ceux du vieil établissement et elle est menée selon des principes totalement autres : sa direction est assurée par des artistes en activité élus chaque année, afin d'éviter une quelconque prise de pouvoir par l'un des membres. Le désaccord se produit en 1847 lorsque la Société refuse une offre d'expositions communes avec l'Académie, qui met immédiatement fin à toute relation avec la jeune institution. Néanmoins, cette période de séparation ne dure qu'environ vingt ans et l'offense est pardonnée lorsque quatre des membres de la Société (Repine [160], Chichkine, Kouïndji et Makovsky) deviennent professeurs à l'Académie dans les années 1890.

Parmi les peintres les plus talentueux des Ambulants, on compte Ilia Repine (1844 - 1930), Vassili Perov (1834 - 1882), Ivan Chichkine (1832 - 1898) [57, 59, 60, 62, 68] et Vassili Sourikov (1848 - 1916) ; sans oublier Isaac Levitan [168, 177]

124- Nikolaï Sinezoubov

La rue, le Printemps, 1920
Huile sur carton.
61 x 50,5 cm

133- Vassili Kandinsky

Environs de Moscou
Huile sur carton collée sur toile. 26,2 x 25,2 cm
Galerie Trétiakov, Moscou

Page précédente :
184- Mikhaïl Larionov

Acacias au printemps (sommets d'acacias), 1904
Huile sur toile. 118 x 130 cm
Musée russe, Saint-Pétersbourg

(1860 - 1941) et Valentin Serov [189] (1865 - 1911), qui représentent une génération légèrement plus tardive. Tous peignent des paysages. Chichkine et Levitan se consacrent presque exclusivement à cet art. Il n'est donc pas étonnant qu'ils soient présentés de façon plus détaillée dans ce livre, avec l'Arménien Martiros Sarian [138, 139, 145] (1880 - 1972). Nombre des peintres Ambulants subissent fortement l'influence de la vague impressionniste venue de France.

Dans les années 1890, la Société commence à s'essouffler. Un mouvement remarquable de Saint-Pétersbourg prend la relève. Il s'agit du Monde de l'Art (Mir Iskusstva) qui introduit les préceptes stylistiques de l'Art Nouveau en Russie. Avec l'émergence de cette nouvelle esthétique, les valeurs et les formes traditionnelles sont vite dépassées. Serov et Levitan expérimentent ce nouveau style et les paysages de Levitan en particulier introduisent un lyrisme d'une grande fraîcheur. Le « Monde de l'Art » est dans une large mesure la création de Sergei Diaghgilev (1872 - 1929), qui devient par la suite un impresario de renommée internationale. Parmi les autres fondateurs se trouvent Alexandre Benois (1870 - 1929) et Konstantin Somov (1869 - 1939). Très vite, des artistes moscovites majeurs tels que Levitan, Serov et Mikhail Nestorov (1862 - 1942) se joignent au mouvement. Nikolaï Roerich (1874 - 1947), Anna Ostroumova-Lebedeva [190], Mstislav Dobouzhinsky (1875 - 1957) et Igor Grabar (1871 - 1960) y adhèrent également [92, 124].

La Révolution de 1917 provoque des changements dramatiques dans le développement artistique comme dans tous les aspects de la vie en Russie. Des peintres radicaux dirigés par Kasimir Malevitch (1878 - 1935) embrassent avec bonheur les idéaux révolutionnaires. Un nouveau mouvement, le Suprématisme, fait son apparition. Vassili Kandinsky [133] se tient à l'écart de tous ces bouleversements. Véritable radical, il passe néanmoins beaucoup de temps en dehors de la Russie et ne contribue que de façon intermittente à la vie artistique. D'autres peintres travaillant au début du XXe siècle, tels que Mikhail Larionov [184] (1881- 1963) sont largement influencés par l'Impressionnisme et, plus tard, par le Cubisme. Comme Kandinsky, Marc Chagall [96] (1887 - 1985) passe lui aussi la plus grande partie de sa vie artistique à l'étranger, exception faite des huit ans de la période révolutionnaire durant lesquels il fonde une académie. Tous ces artistes, chacun à sa façon, réussissent à capturer un élément de l'esprit russe, ce phénomène difficile à définir, mais tellement caractéristique. Leurs œuvres remarquables peuvent se targuer de donner une expression physique à chaque facette de l'âme russe.

La Russie offre un contraste des saisons plus aigu et violent que la plupart des pays. En termes musicaux, rien ne peut mieux résumer la face changeante de l'année que les « *Quatre Saisons* » de Vivaldi. Mais les compositeurs russes ont également représenté le visage versatile de la Nature. Ainsi Glazunov avec « *Les Saisons* ». Se retrouvent aussi les variations des Saisons dans le ballet de Prokofiev intitulé « *Cendrillon* ». Dans les chapitres suivants, nous examinerons le travail de nombreux artistes ne nous limitant pas à ceux mentionnés ci-dessus, mais nous intéressant aussi à ceux qui révèlent une grande variété dans le style et dans l'approche de la ronde des saisons : l'éveil de l'année alors que la nature abandonne son pesant manteau de neige et de glace. Les couleurs, les odeurs et la luxuriance des champs d'été alors que fermiers et paysans travaillent à la terre. Le froid de l'hiver, brumeux et mystérieux dans la ville et piquant, lumineux et éclatant dans la campagne où règne la Vierge des Neiges.

La renaissance de l'année

Le printemps russe est rude, presque dramatique, contrairement à la douce saison familière à la plupart des peuples de l'Europe occidentale. Des forces naturelles trop intenses pour être contenues transforment la terre. La fonte des glaces constitue un moment attendu par les Russes. La prise de l'hiver et ses températures en dessous de zéro commencent à laisser la place aux premières traces de chaleur. L'âme peut enfin respirer dans la promesse des jours d'été à venir.

Une fois que la glace commence à fondre, le voyage devient périlleux. Les inondations sont fréquentes, les rivières sortent de leur lit, les lacs débordent, les routes et les champs se recouvrent d'une boue traîtresse. Cela rend hasardeuses les conditions de travail des bêtes de trait fortes et patientes qui bataillent pour tirer leurs lourdes charges.

Les paysagistes russes mettent l'accent de façon superbe sur ces premiers moments de changement. Viatcheslav Schwarz (1838 - 1869) est l'un des premiers à orienter la peinture de genre dans une direction plus réaliste après le déclin du Romantisme. En 1868, il peint *Cortège de la tsarine se rendant à la prière sous le règne d'Alexis Mikhaïlovich* [24] (le règne en question occupe les trois quarts du XVIIe siècle). L'image capture le moment de lutte où le lourd carrosse est hissé le long de la pente abrupte et glacée. Les chevaux bandent tous leurs muscles

24- Viatcheslav Schwarz

Cortège de la tsarine se rendant à la prière sous le règne d'Alexis Mikhaïlovich, 1868

161- Ilia Repine

Sous escorte, sur le chemin boueux, 1876
Huile sur toile. 26,5 x 53 cm
Galerie Trétiakov, Moscou

alors que la cravache se fait menaçante au-dessus d'eux. L'avant du carrosse de la Tsarine porte un aigle comme emblème. Schwarz est notamment réputé pour l'attention qu'il porte aux détails. La représentation fidèle et précise des éléments historiques est une source de fierté au sein de la communauté artistique à cette époque.

Un peu plus tard dans l'année, lorsque la pluie commence à tomber, les routes de campagne luisent d'une

48- Ilia Ostrooukhov

Premiers Jours de printemps, 1891
Huile sur bois.
61,2 x 49,4 cm
Musée des Beaux Arts, Iaroslavl

47- Isaac Levitan

Mars, 1895
Huile sur toile. 60 x 75 cm
Galerie Trétiakov, Moscou

substance épaisse et visqueuse. La boue envahit tout. Ces conditions climatiques amenèrent Ilia Repine (1844 - 1931) à créer *Sous escorte, sur le chemin boueux* [161], (1876), un tableau de genre dans lequel les couleurs sombres et les coups de pinceau rapides attirent l'attention sur la misère exprimée par le visage du prisonnier. Repine est un homme pressé par la nécessité, presque par le devoir, de

transmettre dans sa peinture l'âme de sa terre natale. Ses œuvres se développent en dehors de la sphère spirituelle qu'il habite, quelque part entre l' « idée » et le « sol ». Le plus souvent, il travaille directement d'après une scène de la vie réelle, mais il cherche également des thèmes dans l'histoire russe ou tire son inspiration de sa perception de la destinée individuelle, à la fois dans la vie et dans « l'au-delà ».

Ilia Ostrooukhov (1858 - 1929), l'un des étudiants de Repine, immortalise la fonte de la glace dans son exquis *Premiers Jours de printemps* [48]. La limpidité cristalline de la scène est adoucie par des touches de jaune pâle dans le ciel et sur la neige, alors que les arbres au premier plan forment un agréable cadre pour les rivières et les champs au loin.

Isaac Levitan (1860 - 1941) est l'un des plus grands paysagistes du XIXe siècle, non seulement en Russie mais également à l'échelle européenne. Né en Lituanie, il va à Moscou avec sa famille où il participe à l'Académie. Très tôt il subit l'influence des œuvres de l'école française de Barbizon, et particulièrement celle de Corot. Il copie beaucoup les tableaux de ces artistes qu'il admire dans des collections d'art russes. Son amour pour la nature est encouragé par ses professeurs, d'abord Savrasov puis par Vassili Polenov (1844 - 1927), un habile paysagiste qui est bientôt dépassé par son élève. Il rejoint les rangs des Ambulants en 1891, et se concentre sur ce qui l'intéresse le plus : la révélation des traits distinctifs du paysage russe dans toutes ses nuances. Il est capable de consolider les réussites de la génération précédente, dont font partie Chichkine et ses professeurs. Il n'est pas restreint par un style ou une humeur, comme le prouvent les contrastes entre ses différents paysages de printemps. L'éblouissant *Mars* [47] (1895) est si froid et lumineux que le spectateur peut presque sentir l'odeur des pins et respirer l'air glacé, vif, tout en sentant la chaleur du soleil dans son dos. Un peu plus tard dans l'année, le bleu chaleureux du ciel se réfléchissant dans la rivière en crue de *Printemps. Crue printanière*[15] investit la scène d'une tendre poésie. Ces représentations de la nature russe renferment une partie

15- Isaac Levitan

Crue printanière, 1897
Huile sur toile.
64,2 x 57,5 cm
Galerie Trétiakov, Moscou

de son âme. Celle-ci ressort si vigoureusement que ces deux tableaux méritent le nom de « paysages nationaux », car ils sont l'essence même du printemps russe.

Un esprit quelque peu différent et plus impressionniste imprègne le petit tableau du *Printemps. Les dernières Neiges* [17]. Il est peint si délicatement, la

quantité de peinture est si mince, que l'on peut pratiquement voir la toile à travers. Mais ni ce tableau, ni *Inondations* [11] n'ont la gaieté des tableaux en bleu et blanc : il règne, dans ces eaux qui provoquent le chaos lors de leur passage, un air de mélancolie, de danger. La même légère tristesse se ressent dans le croquis de P*rintemps. Les*

17- Isaac Levitan

Printemps. Dernière neige, 1895
Huile sur toile.
25,5 x 33,3 cm
Musée russe, Saint-Pétersbourg

11- Isaac Levitan

Inondations, 1885
Huile sur toile. 94 x 157 cm
Musée des Beaux Arts de
Biélorussie, Minsk

167- Isaac Levitan

Printemps, cigognes dans le ciel, années 1880
Crayon italien et aquarelle sur papier. 16,2 x 24,7 cm
Collection particulière, Moscou

13- Isaac Levitan

La Soura vue de la rive haute, 1887,
Etude pour le tableau "La Source en crue"
Huile sur papier collé. 20 x 34,5 cm
Galerie de Peinture, Tver

cigognes dans le Ciel [167] ; cependant la vue d'une volée d'oiseaux au-dessus des inondations est peut-être un signe réconfortant annonçant la saison à venir [13].

Les villes inspirent également à Levitan des compositions attrayantes. *Boulevard, le Soir* [10] est marqué par un air de magie. Le couple de promeneurs baigne dans la lumière brumeuse et verdâtre réfléchie par la neige fondante. Par la suite, lorsque les arbres commencent à bourgeonner, Levitan capture ce changement d'ambiance, un tournant visible dans la perception des habitants de la campagne. *Printemps dans la forêt* [171] est l'un des nombreux exemples de ce style. C'est un tableau empreint de romantisme. L'herbe grasse des berges du cours d'eau qui s'écoule lentement, amortit les pas de toute créature, humaine ou animale, qui ose pénétrer les mystères des bois. Il est possible d'imaginer le Prince Andrei de *Guerre et Paix* de Tolstoï chevauchant dans une telle forêt :

« *Ils allèrent à travers le village boueux, passant devant les aires de battage et les verts champs de seigle de l'hiver. En*

10- Isaac Levitan
Boulevard, le soir, 1883
Huile sur toile. 20 x 32 cm
Galerie de peinture d'Arménie, Erevan

171- Isaac Levitan

Printemps dans la forêt,
1882
Huile sur toile. 43,4 x 35,7 cm
Galerie Trétiakov, Moscou

19- Isaac Levitan

Village au clair de lune, 1897
Huile sur toile. 60 x 90,5 cm
Musée russe,
Saint-Pétersbourg

bas, la neige se logeait toujours près du pont ; en haut la pluie avait liquéfié la glaise. Ils étaient passés devant la chaume et les buissons parsemés de vert, ainsi que dans une forêt de bouleaux qui poussaient de chaque côté de la route. Dans la forêt il faisait presque chaud, et le vent était absent. Les feuilles vertes collantes des bouleaux étaient immobiles, et les fleurs mauves ainsi que les premiers brins d'herbe verte poussaient en chassant les feuilles de l'année passée. » (adaptation).

Village au clair de lune [19] est aussi mystérieux. Seule une maison possède une fenêtre éclairée alors que le

village se blottit sous le ciel d'un vert laiteux [166].

Le travail de Levitan révèle une spiritualité née de ses interrogations sur la signification de l'existence de l'humanité. Son amour pour les beautés de son pays

172- Isaac Levitan

Etang envahi par les herbes, 1887
Huile sur papier collé sur toile. 31,8 x 41,8 cm
Musée russe, Saint-Pétersbourg

rayonne dans tous ses actes et se retrouve dans ses toiles : le vent dans les arbres, le bouillonnement de l'eau, et même, comme il le dit un jour, « *le son de l'herbe qui pousse* ». Pour bien connaître et apprécier son travail, il est utile de bien comprendre l'âme russe, ce qui est notre objectif. Alexandre Benois déclare à son propos : «*...il comprenait le charme obscur de la nature russe, son sens secret. C'est tout ce qu'il comprenait, mais il le faisait comme personne d'autre.* » [172]

Le dégel du printemps est une source durable d'inspiration pour les peintres et ceci quel que soit leur style. Stanislav Joukovski (1873 - 1944) appartient à l'école Impressionniste russe dont les membres partagent l'amour

166- Isaac Levitan

Clair de lune sur la grand-route, 1897
Huile sur toile. 83 x 87 cm
Galerie Trétiakov, Moscou

des impressionnistes français pour les extérieurs, ainsi que leurs perceptions artistiques complètement nouvelles, leur spontanéité et leur capacité d'improvisation. Deux tableaux datant de 1898 laissent transparaître un lyrisme intense qui nous invite au cœur du paysage russe. Les tons bleus glacés des *eaux du printemps* [49] attirent le spectateur le long de routes pleines d'ornières vers la promesse de l'été, qui n'est au loin qu'une petite tache d'un jaune - vert pâle. Le lac sombre qui luit parmi les arbres (*Inondations* [178]) contraste avec le sol tacheté de lumières de la forêt où l'on peut imaginer les premières pousses émerger de la terre nue. *La Digue* [86] offre un traitement puissant de l'eau profonde et tranquille. Seules les ondulations étranges trahissent imperceptiblement le commencement du dégel. Le printemps semble presque céder la place à l'été dans la très impressionniste représentation urbaine *La Maison blanche* [87]. Ce tableau est empli de la chaleur du soleil et irradie de sentiments heureux.

49- Stanislav Joukovski

Les eaux du printemps, 1898
Huile sur toile. 78 x 121 cm
Musée russe,
Saint-Pétersbourg

Dans une ambiance totalement différente, Constantin

178- Stanislav Joukovski

Les crues printanières, 1898
Galerie Trétiakov, Moscou

86- Stanislav Joukovski

La digue, 1909
Musée russe,
Saint-Pétersbourg

87- Stanislav Joukovski

La maison blanche, 1906
Galerie d'art, Astrakhan

Youon utilise le thème du « dégel » dans un paysage urbain très réussi. Les restes de neige apportent une touche dramatique au merveilleux horizon de *Rostov le Grand* [91]. Son utilisation de la couleur y est exquise : le ciel du petit matin jaune pâle jette une ombre bleutée sur les zones enneigées, alors que l'ocre brun de l'architecture légendaire joue le rôle de faire valoir. *Soleil de Mars* [90] (1910) est une autre version du dégel qui nous emmène à la bordure d'un village où les gens se pressent d'effectuer leur travail pendant que les enfants jouent et que les poulets grattent la neige humide. C'est une scène alerte, pleine d'optimisme. Le bleu rafraîchissant du ciel

91- Constantin Youon

Rostov la Grande, 1906
Musée de l'Ermitage, Saint-Pétersbourg

met joliment l'accent sur les tons bruns des bâtiments de cette charmante petite ville.

Certains paysagistes moins influents expriment différemment leur amour pour la terre. Dans la représentation du *Dégel* [50] de Feodor Vassiliev, un père et son enfant, chaudement vêtus, pointent du doigt les oiseaux affluant pour trouver de la nourriture dans la terre récemment découverte. Les champs s'étendent sous

Pages précédentes :

90- Constantin Youon

Soleil de mars, 1910
Galerie Trétiakov, Moscou

Haut :
82- Sergueï Vinogradov

Le village Martzianovo, 1902

Bas :
50- Feodor Vassiliev

Le dégel, 1871
Huile sur toile. 53,5 x 107 cm
Galerie Trétiakov, Moscou

un ciel menaçant, mais qui porte néanmoins en lui l'annonce d'un temps meilleur à venir. Sergei Vinogradov (1869 - 1938), tout comme Joukovski, est un étudiant de Polenov. Comme son maître, il adopte l'Etudisme — la pratique de la peinture en extérieur — non comme une base pour un travail à finir par la suite, mais comme une création totalement élaborée sur le site choisi. Sa vue du *Village de Martzianovo* [82] dans le soleil du printemps, peinte en 1902, est toujours nettement impressionniste et évite le dérapage vers le simple colorisme décoratif dans lequel se noie une partie de ce groupe de peintres.

38- Mikhaïl Nesterov

La prise de voile, 1898
Huile sur toile.
178 x 195 cm
Musée russe,
Saint-Pétersbourg

Le fil essentiel dans le tissage de l'âme russe est depuis toujours une piété simple et profonde. Même durant l'ère soviétique, ce sentiment reste présent, jamais montré en public mais jamais tout à fait éteint. Nesterov (1862 - 1952) plonge dans cette veine avec *La prise de voile* [38]. Cette œuvre néo-romantique montre la forte influence des peintres français tels que Jules Bastien-Lepage et Pierre Puvis de Chavannes. Les riches teintes de noir contre le coucher de soleil en toile de fond, la vieille nonne pieuse sur le plan central, les expressions sérieuses et exaltées sur les visages des postulants, tout cela sert le peintre dans son objectif de représenter « l'âme du peuple ». Un couple profane personnifie un type d'amour différent dans le *Printemps* [123] de Kouzma Petrov-Vodkin, peint en 1935. L'atmosphère du tableau s'apparente à celle que la grand-mère de Maxime

123- Kouzma Petrov-Vodkine

Le printemps, 1935
Huile sur toile.
176 x 159 cm

Gorky évoque lorsqu'elle lui dit : « *C'est merveilleux d'être à l'air libre au printemps et à l'été. Le sol est doux et chaud, et l'herbe est comme du velours ! La Sainte Vierge a parsemé les champs de fleurs. Cela remplit de joie et laisse de l'espace pour que l'âme respire.* » (tiré de « *Mon Enfance* »). Petrov-Vodkine (1878 - 1939) cherche un colorisme « national ». Il réussit à le trouver dans les harmonies peintes qu'il décline à partir d'anciennes fresques russes.

L'un des plus remarquables artistes présentés dans ces pages est Martiros Sarian (1880 - 1972). Nous en apprendrons plus à son sujet dans le prochain chapitre, puisqu'une grande partie de son travail représente la quintessence de l'été. Cependant Sarian, le peintre suprême de l'Arménie reste inégalé dans ses visions flamboyantes des couleurs du sud. Il peint également de

144- Martiros Sarian

Lever du soleil sur l'Ararat, 1923
Huile sur toile collée sur carton. 23 x 36 cm
Collection I. Lounatcharskaïa, Moscou

superbes paysages de villes et de campagne au printemps.

Les sommets d'Ararat et d'Aragatz, situés à la frontière avec la Turquie [144, 151, 153, 154] font partie de ses thèmes favoris. Il les peint d'ailleurs à toutes les saisons de l'année. Au début de sa carrière, il a embrassé le Symbolisme, avec le désir ardent d'une autre vision du monde, plus spirituelle et moins mondaine et une volonté de pénétrer l'essence même de l'existence humaine. Son tableau fantaisiste *Un Conte. Devant l'arbre* [135] et le non

153- Martiros Sarian

Mougni et le pic Aragatz au printemps, 1951
Huile sur toile. 53 x 72 cm
Collection A. Alikhanov, Moscou

154- Martiros Sarian

Précipice sur le versant de l'Aragatz, 1958
Huile sur toile. 80 x 100 cm
Collection L. Sarian, Erevan

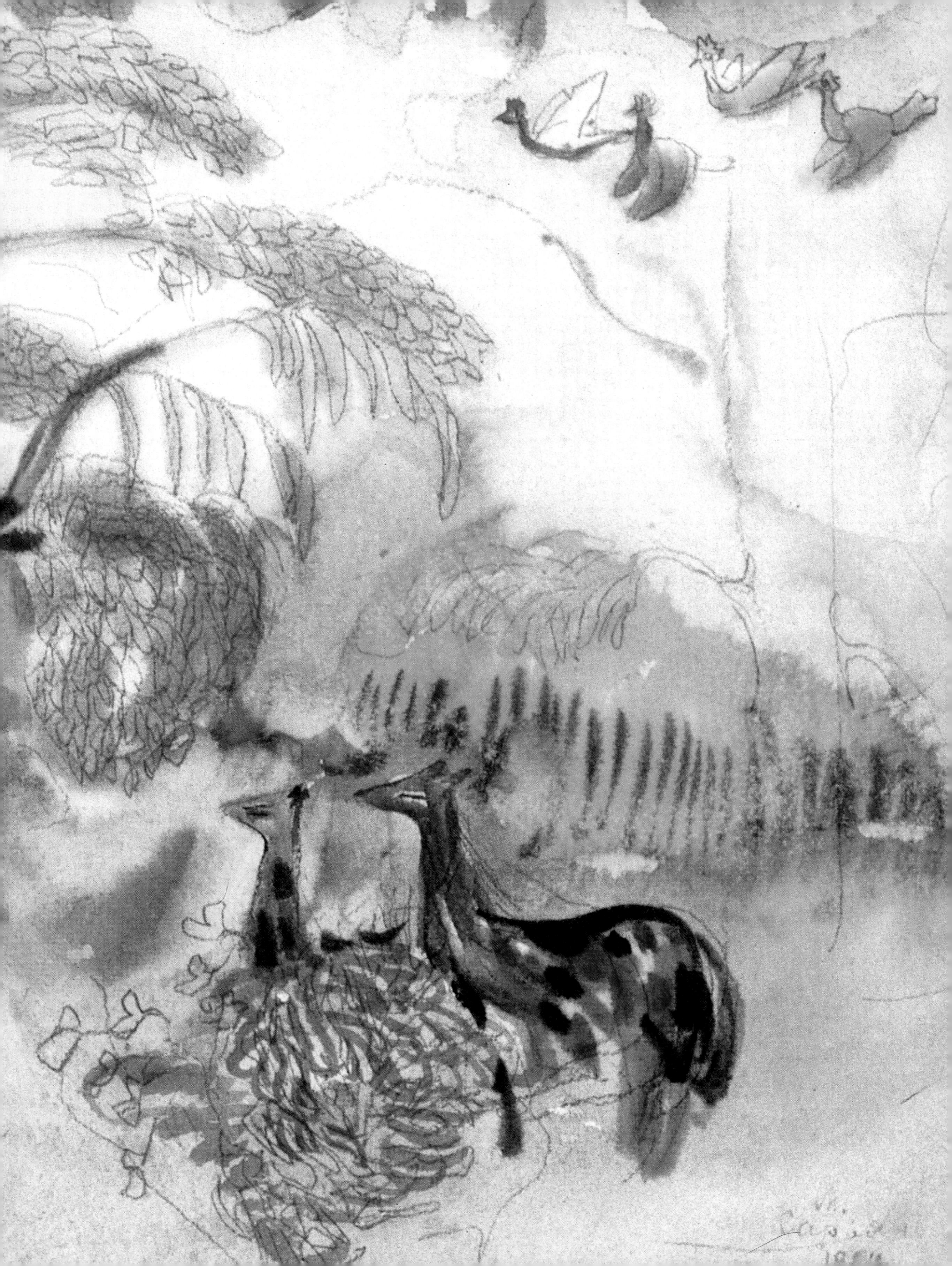

136- Martiros Sarian

Montagnes fleuries de la gorge de l'Akhourian, 1905
Aquarelle sur papier.
67 x 66 cm
Musée Sarian, Erevan

Pages précédentes :
135- Martiros Sarian

Conte. Devant l'arbre, 1904
Aquarelle sur papier.
23 x 33 cm
Musée Sarian, Erevan

moins symboliste *Montagnes fleuries de la gorge de l'Akhourian* [136] nous entraînent dans un royaume fantastique où la lumière est douce et crépusculaire, et où les animaux et les oiseaux prennent des qualités anthropomorphiques.

Les noms de Kasimir Malevitch (1878 - 1935) et Mikhail Larionov (1881 - 1963) ne sont pas directement liés à l'Impressionnisme. Pourtant ces deux artistes

181- Kasimir Malevitch

Printemps - Jardins en fleurs, 1904
Musée russe, Saint-Pétersbourg

produisent des œuvres de jeunesse charmantes qui portent indiscutablement l'empreinte de l'esthétique impressionniste. Le radicalisme qui marque par la suite Malevitch trouve ses racines dans l'indépendance qu'il acquiert dès ses premières expériences artistiques. L'influence de Pissaro et Cézanne est visible dans *Printemps - Jardins en fleurs* [181], avec sa palette de tons légers et ensoleillés et sa technique quasi pointilliste. Les

Pages précédentes :
185- Mikhaïl Larionov

Paysage au clair de lune (boulevard à Tiraspol le soir), 1911
Huile sur toile. 74 x 73 cm
Musée national d'art moderne, centre Georges Pompidou, Paris

186- Mikhaïl Larionov

Coucher de soleil après la pluie, 1908
Huile sur toile.
68,5 x 85,5 cm
Galerie Trétiakov, Moscou

Acacias au Printemps [184] de Larionov est d'une veine similaire et est peint la même année (1904). C'est un chef-d'œuvre de translucidité tendre et le pâle chatoiement des cimes vibre de la joyeuse lumière et de la vitalité de la nouvelle saison. En 1905 son style s'altère de façon dramatique et il entre dans sa phase primitiviste. Des tableaux tels que *Coucher de soleil après la Pluie* [186], peint en 1908, avec ses gouttes de peinture et ses traînées de couleurs vives, suscitent un élan créatif chez nombre des ses amis artistes.

Le dernier de nos artistes qui s'inspire du miracle du printemps est Marc Chagall (1887 - 1985). Son célèbre *Moi et le Village* (1911) est une œuvre comportant plusieurs couches qui harmonisent les qualités directes et presque enfantines des personnages et des maisons avec une imagination fantastique, presque détachée. La petite branche en fleurs au premier plan (détail [97]) devient un arbre complet contenant dans ses feuilles toutes les manifestations joyeuses du printemps russe. La *Datcha* [100],

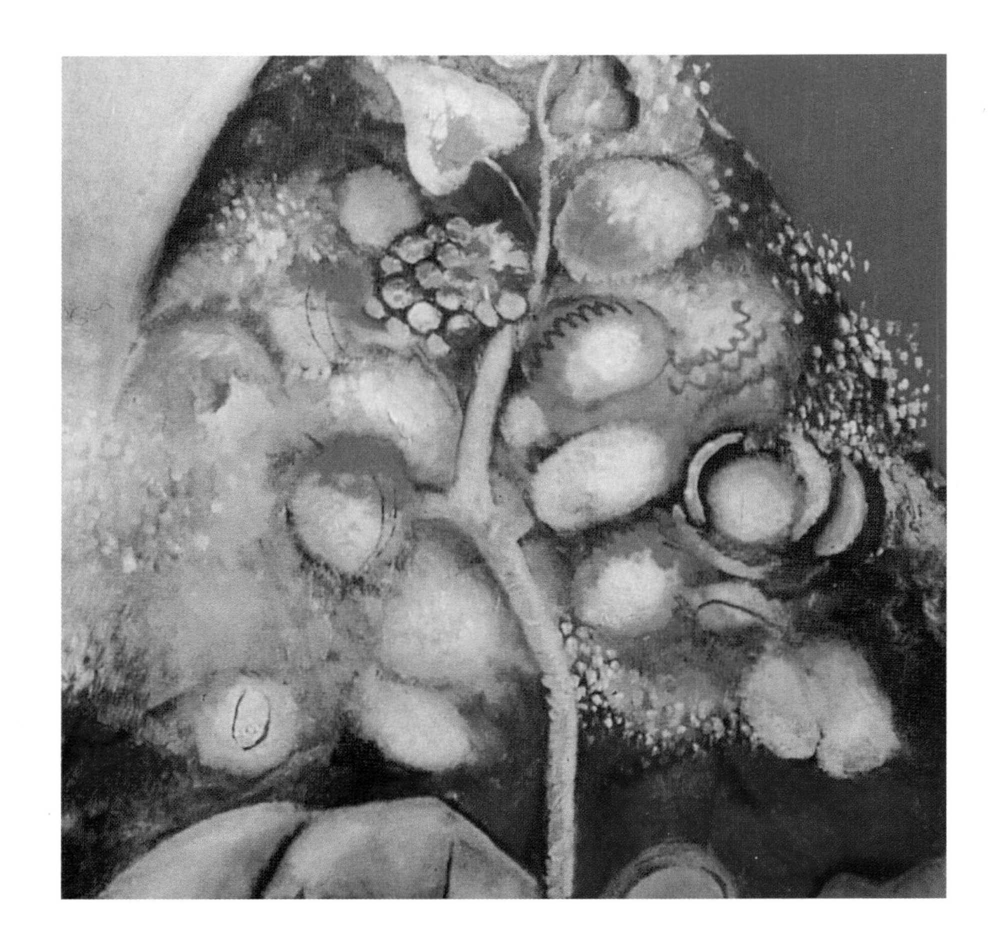

97- Marc Chagall

Moi et le village - détail
1911
Huile sur toile.
191,2 x 150,5 cm
Museum of Modern Art
New York

peinte sept ans plus tard, est plus naturaliste, mais les contours de la clôture et du sentier rappellent la courbure de la Terre si caractéristique de ses œuvres précédentes. Les verts scintillants sont une invitation à célébrer les bonheurs du printemps : « *Tout fermentait, grandissait et s'élevait avec la levure de la vie. La joie de vivre, comme un vent calme, se transforma en raz-de-marée emportant sans discrimination les champs et les villes, les murs et les clôtures, le bois et la chair.* » (Pasternak, adaptation de *Docteur Jivago*).

100- Marc Chagall

Datcha, 1918
Huile sur carton.
60, 5 x 46 cm
Galerie de peinture d'Arménie, Erevan

Un regain de vitalité

« C'était l'apogée de l'été, la période de l'année où

on peut estimer les récoltes... Lorsque le seigle forme

déjà des épis de couleur verte comme la mer, qui ne

sont pas encore arrivés à maturation ; lorsque les épis

de blé se balancent doucement dans la brise ; lorsque

l'avoine verte, parsemée de mottes d'herbe jaune,

apparaît ça et là dans les champs semés

tardivement... Lorsque l'odeur du fumier séché,

rassemblé en petits tas à travers les champs,

se mélange au crépuscule avec les parfums de l'herbe.

Et sur les terres en hauteur, attendant la faux,

les prairies protégées se dressent comme une mer

infinie, avec les mottes sombres d'oseille en fleur. »

Adaptation de *Anna Karénine*, Tolstoï

183- Kasimir Malevitch

Les moissonneuses.
1909-1910 (ou après 1927 ?)
Musée russe,
Saint-Pétersbourg

L'été est l'époque où la terre se dilate, où le dieu soleil Yarilo entre dans son royaume. L'été russe est bien trop bref, et les paysans doivent travailler dur pour en tirer le meilleur. Mais chacun, quelle que soit sa position sociale, aime la chaleur et la libération de la captivité de la glace. Les fleurs abondent pour être cueillies, les fruits sont mûrs et les femmes peuvent porter de jolies robes.

Au XIXe siècle, les neuf dixièmes des russes vivent à la campagne. On est presque tenté de penser que l'âme du paysan émane du village. La vie des paysans est dure depuis des temps immémoriaux. Plusieurs Tsars se sont

26- Grigory Miasoyedov

Epoque de la moisson (Les Faucheurs), 1887
Huile sur toile.
179 x 275 cm
Musée russe, Saint-Pétersbourg

efforcés, parfois en vain, d'améliorer leurs conditions de vie. Au début du siècle, pendant le règne de Alexandre I, des initiatives sont prises pour tenter d'abolir le servage, et Nicolas I reconnaît la nécessité de valoriser le statut de ceux qui travaillent la terre. Mais une forme de gouvernement autocratique, maintenue par la bureaucratie et soutenue par les classes des propriétaires fonciers, oppose une farouche résistance à cette réforme. La peur de la rébellion était néanmoins exagérée ; la rumeur dit que « *tant que la binette du paysan est au sol, il ne se soulève pas* ».

Grigory Miasoyedov idéalise les paysans à travers *Epoque de la moisson* (*Les Faucheurs*) [26]. Ce sont des

hommes et des femmes de belle allure, fiers de leur force alors qu'ils coupent le blé avec des mouvements larges et rythmés. Ce tableau, considéré comme le plus réussi de l'artiste, est apparemment très apprécié par Alexandre III. Un critique dit au sujet de cette œuvre que le spectateur reste « *pendant un long moment captivé par l'été russe et les champs russes* ». Vladimir Makovski (1846 - 1920) décrit

36- Vladimir Makovski

Pâturage de nuit, 1879
Huile sur toile. 66 x 77 cm
Musée russe,
Saint-Pétersbourg

la vie paysanne selon une perspective différente, souvent avec une touche d'humour, qui tend à rendre ses toiles anecdotiques aux dépends de sa perspicacité psychologique.

Il sait cependant apporter une touche de qualité à son travail, comme dans *Pâturage de nuit* [36], tableau dans lequel

31- Nikolaï Kassatkine
Pauvres ramassant du charbon dans une mine abandonnée, 1894
Huile sur toile. 80,3 x 107 cm
Musée russe, Saint-Pétersbourg

la description des animaux dans une conversation animée évite de peu la sentimentalité.
Dans les années 1880 et 1890, une nouvelle génération rejoint les Ambulants.
Parmi eux, Nikolaï Kassatkine (1859 - 1930) est celui qui perpétue de la façon la plus systématique la tradition du style de peinture propre à la génération précédente. Kassatkine passe plusieurs mois à observer les travailleurs des mines de charbon de la région de Donetsk. Ils lui inspirent *Pauvres ramassant du charbon dans une mine abandonnée* [31] en 1894. L'existence misérable de ces femmes et de ces enfants est soulignée par le paysage grisâtre ; pas une touche de couleur ou de vie ne soulage cette monotonie. L'ennui et une acceptation engourdie s'expriment dans une composition arrangée avec soin et dans l'éloquence restreinte de la gamme de tons utilisés.

Deux des œuvres de Kasimir Malevitch dans sa période figurative au début de sa carrière sont bien plus joyeuses. *Les moissonneuses* [183] est un tableau audacieux très proche du style de Gauguin et de Cézanne. Il évoque irrésistiblement l'été. Les couleurs brillantes et saturées sont étalées en couches épaisses et la perspective est telle que l'on se retrouve pratiquement au cœur du tableau et que le personnage monumental au premier plan perd une partie de son pied coupée par le cadre. *Champs* [182] est un autre exercice aux couleurs brillantes. Son impact est si fort que le tableau observé de près n'a aucun sens. Ce n'est qu'à une certaine distance que les épaisses gouttes de peinture vertes deviennent une ceinture d'arbres. Van Gogh aurait certainement trouvé cette technique et cette palette de couleurs vibrantes familières. Ces deux

183- Kasimir Malevitch

Les moissonneuses.
1909-1910 (ou après 1927 ?)
Musée russe,
Saint-Pétersbourg

Page de droite :
182- Kasimir Malevitch

Les champs
Musée russe,
Saint-Pétersbourg

tableaux (qu'ils soient de 1909 -10 ou 1927, la date n'est pas certaine pour ces œuvres, comme pour d'autres du même style) ont une structure rigoureuse et qui va vers l'abstrait ; on peut y discerner les prémisses du futur *Supprématisme* qui rendra Malevitch célèbre.

La Moisson [116], œuvre datée de 1915 est une scène de récolte de Zinaïda Serebriakova (1884 - 1967), membre de l'Association du Monde de l'Art, très liée au théâtre. Les poses de ces jeunes femmes robustes font penser à celles de ballerines. Les couleurs sont aussi vives que

celles de Malevitch, mais la profondeur du champ semble étrange, comme si les personnages avaient été arrangés sur un contre-plan de la scène. L'œuvre possède néanmoins du charme et de l'esprit, et ceci essentiellement grâce au regard de la jeune fille de droite qui semble inviter le spectateur à rejoindre la modeste fête. Bien que la scène

soit idéalisée, il ressort quelque chose de ceux qui peinent à travailler la terre.

L'élément religieux que nous avons déjà abordé dans les tableaux du printemps se manifeste même à l'apogée de l'été, alors qu'on pourrait supposer que personne n'a de

116- Zinaïda Serebriakova

La Moisson, 1915
Huile sur toile,
142 x 177 cm
Musée des Beaux Arts, Odessa

temps à consacrer à des considérations spirituelles. Un autre tableau de Illarion Prianichnikov montre la profondeur de la piété chez les Russes : dans *Une Procession Religieuse* [33] datant de 1893, la congrégation sortant de l'église doit prendre le bac pour traverser la rivière, mais quelques âmes courageuses traversent à gué dans l'espoir d'accroître leur crédit spirituel. On remarque chez le jeune homme qui se penche inconsciemment pour embrasser l'icône, chez la vieille femme solennelle qui la porte, chez le vieux couple aux têtes baissées derrière eux, une concentration intense sur le culte de Dieu.

33- Illarion Prianichnikov

Procession religieuse, 1893
Huile sur toile.
101,5 x 165 cm
Musée russe,
Saint-Pétersbourg

Mikhaïl Nesterov a puisé dans cette veine pieuse le moyen d'obtenir un effet remarquable dans son cycle Saint Sergius. Le premier tableau de cette série de la « Sainte Russie » est *La Vision du jeune Bartholomé* [32] datant de 1889 - 1890. Le jeune garçon au visage d'une pâleur d'outre tombe, a une vision et fixe avec des yeux pleins d'émerveillement l'apparition d'un moine lui indiquant qu'il est destiné à la sainteté. Le beau paysage d'été exhale une atmosphère spirituelle particulièrement russe qui arrive à nous convaincre du pouvoir de la prière. Si jamais un tel miracle pouvait se réaliser, ce serait ici,

dans ce lieu, parmi les fleurs et les herbes de ces vallées tranquilles. La religion a une grande influence dans l'environnement rural aussi bien qu'urbain : dans le tableau intitulé *La place Sennaïa à Saint-Pétersbourg* [20], peint environ en 1860 par Adrian Volkov, l'élément dominant de la composition est l'imposante église.

32- Mikhaïl Nesterov

La vision du jeune Bartholomé ; 1889-1890
Huile sur toile.
160 x 211 cm
Galerie Trétiakov, Moscou

Etre russe, ce n'est pas seulement vivre à la campagne et être paysan. C'est autant une prérogative des bourgeois et des aristocrates que de la classe paysanne. L'amour des Russes pour le foyer et la famille est le thème des tableaux

20- Adrian Volkov

La place Sennaïa à Saint-Pétersbourg
Années 1860

de Vassili Maximov (*Tout est dans le passé* [27]) et de Vassili Polenov (*Petite cour à Moscou* [46]). Les vieilles femmes qui somnolent ou qui tricotent au soleil, les enfants qui jouent sur l'herbe, sont décrits avec beaucoup de tendresse. Le tableau de Polenov est devenu le favori des Russes grâce à son évocation nostalgique de l'enfance, des choses familières, et de la sécurité du foyer. Valentin Serov (1865 - 1911), un grand peintre qui relie le XIXe et le XXe siècle dans son mélange stylistique du traditionnel et de l'innovateur, explore davantage le thème du foyer avec *En Eté* [40], où une mère, celle du peintre en l'occurrence,

27- Vassili Maximov

Tout est dans le passé, 1889
Huile sur toile. 27 x 35 cm
Galerie Trétakiov, Moscou

14- Isaac Levitan

Automne doré. Hameau, 1889
Huile sur toile. 43 x 67,2 cm
Musée russe, Saint-Pétersbourg

est assise, détendue mais toujours consciente que ses enfants jouent joyeusement dans le jardin baigné de soleil. Ilia Repine est largement influencé par les Impressionnistes durant son séjour en France dans les années 1870. On remarque dans *Sur le banc en mottes* [78] (1876) une explosion glorieuse de peinture lumineuse étalée librement et joyeusement sur la toile. La composition est articulée par des considérations d'espace et de forme, lui permettant d'exprimer une profondeur convaincante. La famille bourgeoise (celle de l'artiste) est tranquillement assise dans

40- Valentin Serov

En Eté, 1895
Huile sur toile.
73,5 x 93,8 cm
Galerie Trétiakov, Moscou

78- Ilia Repine

Sur le banc en mottes
Huile sur toile. 36 x 55,5 cm
Musée russe, Saint-Pétersbourg

l'ombre et la jeune femme en robe blanche (la femme de Repine) est la seule qui soit consciente d'être observée. L'esthétique impressionniste est toujours le guide dans *A la maison de campagne de l'Académie* [80] (1898). L'impression de totale tranquillité n'est plus exprimée aussi parfaitement : le point de convergence sur la gauche et le premier plan

80- Ilia Repine

A la maison de campagne de l'Académie, 1898
Huile sur toile. 64 x 106 cm
Musée russe,
Saint-Pétersbourg

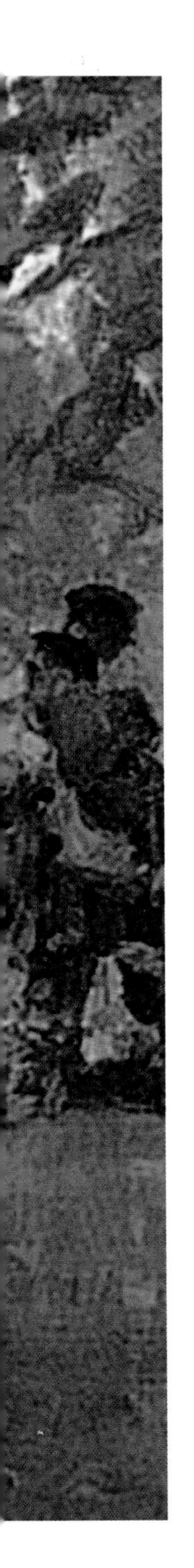

chargé d'herbe font plus penser à une photographie qu'à une représentation de l'atmosphère [79].

L'été dans un cadre domestique est le thème choisi par Sergueï Soudeïkine (*Parc* [197]), Stanislav Joukovski (*La Terrasse* [180]) et Konstantin Somov (1869 - 1939). Soudeïkine (1882 - 1946) appartient comme Serebriakova au groupe du Monde de l'Art. Sa merveilleuse scène dans un jardin est l'essence même de l'été ; *La Terrasse* de Joukovski est baignée par la lumière du soir et il n'y a plus de bleu dans le ciel. Benois produit une pastorale aux tons doux, presque digne de Marie-Antoinette, dans *Le Bain de la Marquise. Le Feu d'Artifice* [191] de 1922 est bien plus intéressant, car Somov y utilise une technique proche de la tapisserie. La lumière dorée du jour tombant se fond dans le spectacle pyrotechnique : « *Il y avait des*

79- Ilia Repine

Paysage d'été dans la province de Koursk. 1881
Etude pour le tableau
Procession religieuse dans la province de Koursk (1880-1883)
Huile sur carton. 14 x 20 cm
Galerie Trétiakov, Moscou

197- Sergueï Soudeïkine

Parc
Huile sur carton. 51 x 67 cm
Musée russe,
Saint-Pétersbourg

180- Stanislav Joukovski

La terrasse, 1906
Musée russe,
Saint-Pétersbourg

jours où le soleil sortait et le ciel du soir débordé par des rivières ardentes explosait, laissant leurs cendres tomber sur le velours vert du jardin. Alors on pouvait sentir toutes les choses s'assombrir, s'élargir et gonfler, noyées par la chaude obscurité. Les feuilles lourdes de soleil tombaient, l'herbe ployait sur le sol et tout devenait plus doux, plus riche, et l'air se remplissait de lumière et d'odeurs caressantes, comme la musique qui flottait depuis les champs lointains » (Maxime Gorky, adaptation de *Mon Enfance*).

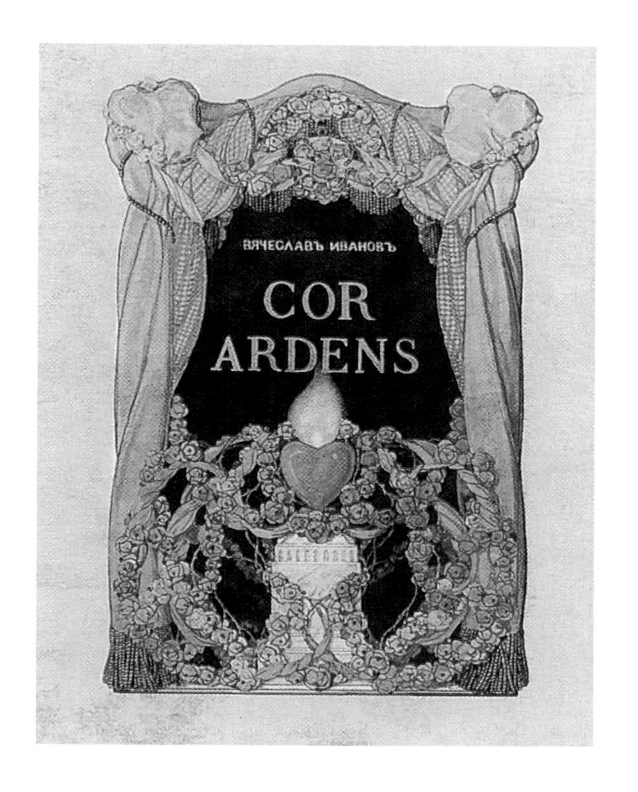

Marc Chagall apporte une interprétation unique de la vie domestique dans ses tableaux concernant l'été. Chagall ne revendique pas de style aisément défini. Pour respecter ses sujets, il change constamment son approche. Pourtant, dans ses paysages urbains, un élément de rêverie est toujours visible et résulte sans doute de sa nostalgie pour son enfance juive dans sa ville natale de Vitebsk. Dans *La Maison Bleue* [95] (1917 - 1920), l'absence de modèle donne l'impression que les formes simples s'empilent comme un découpage d'enfant. En opposition totale, *Fenêtre sur le jardin* [102] conserve néanmoins l'absence de relief de l'œuvre précédente : il est difficile de croire que le jardin de l'autre côté n'est pas un élément de décor que l'on peut déposer ou emmener. Le tableau le plus romantique

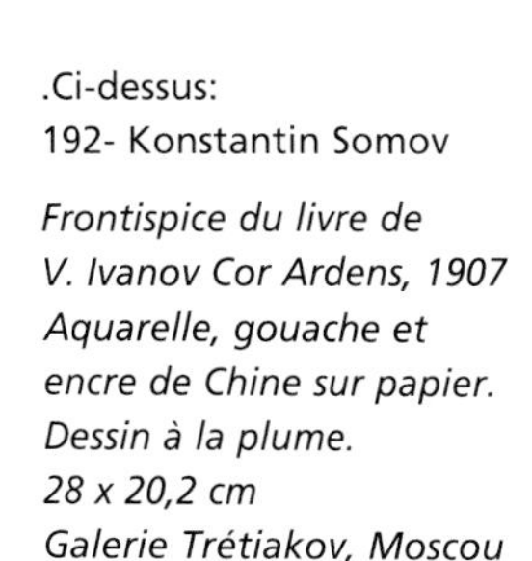

.Ci-dessus:
192- Konstantin Somov

Frontispice du livre de V. Ivanov Cor Ardens, 1907
Aquarelle, gouache et encre de Chine sur papier.
Dessin à la plume.
28 x 20,2 cm
Galerie Trétiakov, Moscou

191- Konstantin Somov

Feu d'artifice, 1922
Huile sur toile, 27 x 31, 5 cm
Musée Brodski, Saint-Pétersbourg

Double page suivante :
95- Marc Chagall

La maison bleue, 1917-1920
Huile sur toile. 66 x 97 cm
Musée des Beaux Arts, Liège

Double page précédente :
102- Marc Chagall

Fenêtre sur le jardin, vers 1917
Huile sur papier collé sur carton. 46, 5 x 61 cm
Appartement musée d'Isaac Brodski, Saint-Pétersbourg

Page gauche :
101- Marc Chagall

Le poète allongé, 1915
Huile sur carton.
77 x 77, 5 cm
Tate Gallery, Londres

des trois est ici *Le poète allongé* [101] de 1915. Il trahit la préoccupation constante de Chagall pour des symboles qui sont difficiles à décrypter et qui restent le plus souvent pour le spectateur des énigmes. Les arbres et les animaux semblent à nouveau avoir été exécutés par un enfant et il y a un air de conte de fées, bien que le jardin tranquille au crépuscule soit sur le point de devenir une scène d'événements mystérieux et que le poète, paisiblement étendu, soit autorisé à en être témoin.

Le paysage d'été russe classique, selon la plupart des amoureux de l'art, est certainement *Un Chemin de Campagne* [42] de Savrassov. Il décrit un coucher de soleil

42- Alexei Savrassov

Chemin de campagne, 1873
Huile sur toile. 70 x 57 cm
Galerie Trétiakov, Moscou

81- Valentin Serov

Vieux bain à Domotkanovo, 1888
Huile sur toile.
76,5 x 60,8 cm
Musée russe, Saint-Pétersbourg

après un jour d'été humide. La pluie a battu le blé. C'est peut être aussi le coin de forêt intime de Valentin Serov dans *Vieux bain à Domotkanovo* [81] ou encore le *Paysage avec une rivière* [51] de Lev Kamenev, peint dans des tons bruns mitigés et des teintes de verts. Isaac Levitan, dont nous avons abordé le travail dans le chapitre consacré au printemps, peut aussi être considéré comme l'un des plus grands paysagistes de la saison chaude (*Petit Pont dans le Village de Savvinskaya* [12]). Son *Bosquet de Bouleaux* [121], dans lequel les teintes de verts doux et de jaunes produisent un effet des plus tendres, mérite

51- Lev Kamenev

Paysage avec une rivière, 1872
Huile sur toile.
59,5 x 50,5 cm
Musée russe, Saint-Pétersbourg

12- Isaac Levitan

Petit Pont - Village de Savvinskaïa. Etude, 1884
Huile sur toile. 25 x 29 cm
Galerie Trétiakov, Moscou

d'être plébiscité. Un autre bosquet de bouleaux [44], de Arkhip Kouïndji (1841 - 1910), fait sensation lorsqu'il est exposé pour la première fois en 1879. On s'interroge sur le

121- Isaac Levitan

Bosquet de Bouleaux, 1885-1889
Huile sur papier collé sur toile, 28,5 x 50 cm
Galerie Trétiakov, Moscou

traitement singulier de la lumière dans ce tableau ; le public a encore du mal à admettre que la source lumineuse ne provient que de la toile. Il est certain que sa luminosité est frappante.

Cependant, lorsqu'on pense aux paysages d'été, Ivan Chichkine (1832 - 98) est l'artiste qui vient immédiatement à l'esprit. C'est l'un des peintres les plus puissants et originaux du XIXe siècle. Il naît en Ukraine, étudie à Moscou et à Saint-Pétersbourg, où d'ailleurs il s'installe. Il devient un Ambulant en 1870 et il enseigne à de nombreux peintres dont les œuvres figurent dans cet ouvrage. Il est passionnément fier d'être russe, et très tôt au cours de sa carrière il décide que la finalité de son art sera de dépeindre fidèlement la campagne de sa terre natale, sans sentimentalité ni exagération. Il y parvient sans conteste. On ne lui trouve pas d'égal. Ses tableaux représentant des forêts semblent traduire en peinture les mots de Tolstoï : « *La journée avait été chaude. Quelque part un orage se préparait, mais seul un petit nuage avait laissé s'échapper des gouttes de pluie, parsemant la route de feuilles pleines de sève. Le côté gauche de la forêt était sombre dans l'ombre ; le côté droit luisait dans les rayons du soleil, mouillé, brillant et à peine bercé par la brise. Tout était en fleur, les rossignols chantaient, et leurs voix se répercutaient très loin à présent.* » (Extrait de *Guerre et Paix*, adaptation).

Chichkine a un lien privilégié avec la nature, qu'il considère comme son plus grand professeur. Il n'a pas son pareil pour saisir la forme d'un arbre. Sa profonde compassion pour la vie des paysans lui permet de s'immerger dans leur environnement et d'en devenir très proche. Ses principes sont

Double page précédente :
44- Arkhip Kouïndji

La boulaie, 1879
Huile sur toile. 97 x 181 cm
Galerie Trétiakov, Moscou

61- Ivan Chichkine

Midi - Dans les environs de Moscou, Bratsevo, 1866
Huile sur toile. 65 x 59 cm
Galerie Koustodiev, Astrakhan

façonnés par les idéaux du nouveau réalisme démocratique dans la littérature. Ils portent leurs fruits dans ses œuvres des années 1860. *Midi dans les Environs de Moscou. Bratsevo* [61], datant de 1866, croquis pour un tableau qui aura un grand succès trois ans plus tard, trahit l'attention portée aux détails au début de sa carrière. Il y a un sens profond de l'âme russe dans ces grandes étendues de ciel et de champs de blé :

Et le grand ciel voisinait gravement
Avec ses faîtes apaisés soudain.
Et par des chants de coqs, très longuement,
On entendait se héler les lointains.

Pasternak, Août

53- Ivan Chichkine

Pinède. Bois de matûre dans le gouvernement de Viatka, 1872
Huile sur toile.
117 x 165 cm
Galerie Trétiakov, Moscou

54- Ivan Chichkine

Pluie dans un bois de chênes, 1891
Huile sur toile.
124 x 203 cm
Galerie Trétiakov, Moscou

L'approche de la nature par Chichkine consiste à l'étudier intentionnellement, en faisant plusieurs croquis le jour précédant l'installation. Ils servent à compléter le tableau. Il regarde tous les éléments séparément, puis les reconstitue en une image au pouvoir expressif. Ses meilleurs tableaux ont un souffle épique. *Pinède. Bois de matûre dans le gouvernement de Viatka* [53] peint en 1872 est un travail d'un impact énorme. Il dégage une force vitale vigoureuse ; les arbres sont presque personnalisés, le cours d'eau, peu profond, coule doucement, l'atmosphère paisible est animée par les ours cherchant à atteindre la ruche. *Pluie dans un bois de Chênes* [54] est une étude d'une exquise beauté et une interprétation des plus réussies de la texture et de l'atmosphère. La forêt détrempée semble scintiller d'une brume vert argenté et on entend presque les craquements des bottes des marcheurs traçant leur chemin sur le sentier boueux.

Pages suivantes :

52- Ivan Chichkine

« Au milieu de la plaine… », 1883
Huile sur toile.
136,5 x 203,5 cm
Musée d'art russe, Kiev

70- Ivan Chichkine

Au bord du Golfe de Finlande (Udrias près de Narva), 1889
Huile sur toile.
91,5 x 145,5 cm
Musée russe, Saint-Pétersbourg

ишкинъ 1889.

Chichkine ne se limite pas à la peinture de paysages de forêts. Dans « *Au milieu de la plaine…* » [52] peint en 1883, il est fier des grands espaces dans lesquels le solide chêne est le seul élément d'une étendue sans fin. Il est le peintre qui note que les terres arables productives sont un don de Dieu et fournissent les « *richesses russes* ». *Au bord du Golfe de Finlande* (*Udrias près de Narva*) [70] nous montre qu'il est aussi adepte du paysage marin. Il rend la sensation d'une journée brumeuse et chaude avec la mer calme comme arrière-plan. Sa dernière œuvre majeure, intitulée *Bois de matûre* [56], peinte peu de temps avant sa mort, le montre au faîte de sa dextérité. Ce tableau est une suggestion parfaite des pins magnifiques. L'équilibre harmonieux des couleurs et l'attention précise portée aux détails donne naissance à une scène de forêt chaudement accueillante bien que très classique.

Eloignons-nous complètement des forêts profondes et des larges champs de blé du nord et du centre de la Russie et tournons-nous vers le travail du grand peintre arménien Martiros Sarian et de son presque contemporain Pavel Kouznetsov (1878 - 1968), dont la vision éthérée de *Les chariots* [193] ressemble à un mirage. Nous avons déjà pu admirer certaines images du printemps de Sarian, et l'été du sud du pays est encore plus exotique. Le sens de la couleur et

56- Ivan Chichkine

Bois de matûre, 1898
Huile sur toile.
165 x 252 cm
Musée russe,
Saint-Pétersbourg

de la forme que possède Sarian, ainsi que le dessin de ses sujets sont directement imputables à l'influence de Gauguin et de Matisse. Mais il apporte à sa production vaste et variée une créativité excitante qui lui est tout à fait propre. Au cours de ses voyages dans les régions orientales et au sud de l'empire russe, il est ravi par la chaleur, le soleil dardant implacablement ses rayons, les femmes voilées et les nomades avec leurs troupeaux d'animaux. Tout comme Chichkine, il sent que la nature est son meilleur professeur. Il puise dans les couleurs et les formes du Sud. *Au Caucase. Tiflis* [137] est un paysage urbain qui respire la chaleur des bâtiments et des rues ; le bleu profond et saisissant des ombres paraît absolument juste. La même gamme de couleurs est employée avec un effet éblouissant dans *Mont Aboul et chameaux* [141], dont le thème est sans nul doute la montagne. Les chameaux ne sont présents que pour amener de la perspective. *Erevan* [127] est un paysage urbain réalisé dans une gamme de couleurs plus « réaliste ».

193- Pavel Kouznetsov

Les chariots, seconde moitié des années 1910
Huile sur toile. 95 x 95 cm
Galerie de peinture Koustodiev, Astrakhan

La palette de couleurs s'élargit en 1923, lorsque Sarian peint *Paysage ensoleillé* [143]. C'est un exemple frappant de sa vision du paysage, avec ses couleurs chaudes, ses formes dynamiques et son espace apparemment illimité. Les couleurs sont si riches et audacieuses qu'elles font cligner

137- Martiros Sarian

Au Caucase. Tiflis, 1907
Détrempe sur toile.
34 x 48 cm
Collection K. Sarian, Erevan

141- Martiros Sarian

Mont Aboul et chameaux, 1912
Huile sur toile. 138 x 142 cm
Galerie de peinture d'Arménie, Erevan

des yeux, mais elles chantent la majestueuse étendue des montagnes éternelles qui éclipsent l'existence humaine. L'artiste choisit une palette plus douce vers la fin de sa vie. *Bjni. La Forteresse* [150] montre une ancienne ruine au sommet de la montagne, comme si elle avait poussé là, se fondant parfaitement dans le décor. Le grand arbre ployant dans la brise et semblant s'étirer vers la forteresse est une réussite de ce peintre extraordinairement excitante. Sarian personnifie l'âme de son pays d'une manière aussi légitime que ses homologues du Nord, en leur opposant un contraste piquant.

127- Martiros Sarian

Erevan, 1924
Huile sur toile. 69 x 68 cm

143- Martiros Sarian

Paysage ensoleillé, 1923
Détrempe sur toile.
70 x 78 cm
Galerie de peinture d'Arménie, Erevan

150- Martiros Sarian

Bjni. La forteresse, 1946
Huile sur toile. 82 x 60 cm
Musée Sarian, Erevan

La Brume et l'Or

Octobre est là. Les bois s'ébrouent et font pleuvoir
ce qui restait de feuilles aux branches dépouillées.
Au premier souffle froid, la route s'est durcie ;
le ruisseau, chantonnant, court toujours au moulin,
mais l'étang est figé ; et mon voisin se hâte
d'écumer son terrain de chasse avec sa meute
et les semis tardifs doivent subir sa rage
et les abois des chiens réveillent les halliers.

Pouchkine, *Automne*

66- Ivan Chichkine

Paysage de Polessié, 1884
Huile sur toile.
71,5 x 117,5 cm
Musée des Beaux Arts de Biélorussie, Minsk

L'automne contient une tristesse inéluctable. Bien qu'il ait sa propre beauté saisonnière, il signale néanmoins la fin du temps doux et l'arrivée des jours sombres. La mélancolie caractéristique de la Russie prend toute sa mesure en septembre et en octobre. Les jours dorés et vivifiants ne suffisent pas à la tenir à distance, même lorsqu'on peut utiliser comme antidote une promenade à cheval à travers les champs nus [157].

157- Moscou
Alexandre III et Marie Fédorovna assistent aux manœuvres militaires, 1890

L'automne est, peut-être encore plus que l'été, la saison la plus difficile à définir en termes urbains. L'une des tentatives les plus réussies est le tableau magique de Lev Kamenev intitulé *Brouillard. L'Etang Rouge à Moscou en Automne* [200] (1871). Le soleil est là, quelque part au-dessus de la brume, mais il est complètement caché. On le devine grâce aux reflets de la lumière dans l'eau. A l'exception de cet éclat de lumière, la palette est pratiquement monochrome et extrêmement efficace.

Dostoïevski révèle un amour de l'humanité dans les œuvres de Vladimir Makovski, peintre jovial dont nous avons déjà parlé. Makovski atteint l'apogée de son art grâce à des œuvres que l'on pourrait nommer « nouvelles ». Ainsi *Sur le Boulevard* [30] laisse transparaître le drame d'une situation humaine difficile, la réunion tendue entre un jeune homme, qui a quitté son village pour améliorer sa situation matérielle, et sa femme, à peine plus âgée qu'une petite fille, qui retrouve un

200- Lev Kamenev

Brouillard. L'Etang Rouge à Moscou en Automne, 1871
Huile sur toile. 68 x 113 cm
Galerie Trétiakov, Moscou

étranger à la place de l'homme qu'elle a épousé. L'expression misérable du visage de la jeune fille est éloquente, mais le jeune homme n'en est pas conscient. Les feuilles tourbillonnantes, ainsi que l'arrière-plan gris et froid, ne font qu'ajouter au désespoir de la jeune fille.

30- Vladimir Makovski

Sur le boulevard, 1886-1887
Huile sur toile. 53 x 68 cm
Galerie Trétiakov, Moscou

Mstislav Doboujinski (1875 - 1957), membre de l'association du Monde de l'Art, choisit l'aquarelle pour donner à l'automne un aspect joyeux, à travers le charmant portrait d'une vieille ville : *Vilno* (connue à présent sous le nom de Vilnius, en

Ci-dessous :
199- Mstislav Doboujinski

Vilno, 1910
Détrempe et aquarelle sur papier sur carton.
51,5 x 68 cm
Collection particulière, Saint-Pétersbourg

Lituanie) [199]. Elle ressemble à un conte de fées, ou du moins à sa représentation sur scène : le spectateur ne serait pas surpris de voir un cheval doué de parole, une jeune fille à l'apparence d'un cygne ou un loup démoniaque faire leur apparition et commencer à jouer la comédie.

La religion étant un élément omniprésent, son respect

est profondément enraciné dans la mentalité russe. Chaque foyer possède une icône, une image sainte qui préside à chaque événement d'importance. Lorsqu'elle circule, chacun se hâte de l'honorer. Konstantin Savitskï (1844 - 1905), un Ambulant qui aime représenter la vie paysanne, nous montre des paysans priant avec dévotion dans le paysage automnal lugubre de *Présentation de l'icône* [28]. Les tons sont subtils, et les arbres sont adoucis et effacés par la distance.

Le génie d'Ivan Chichkine donne toute sa mesure dans la peinture de paysages d'été, mais il produit également de nombreuses œuvres maîtresses avec

28- Konstantin Savitskï

Présentation de l'icône, 1878
Huile sur toile. 14 x 228 cm
Galerie Trétiakov, Moscou

l'automne pour sujet. Alors qu'il est encore étudiant, il passe plusieurs mois à peindre et à tracer des croquis sur l'île de Valaam au Lac Ladoga. En 1867, il peint *Paysage*

58- Ivan Chichkine

Paysage avec un chasseur - Ile de Valaam, 1867
Huile sur toile. 36,5 x 60 cm
Musée russe, Saint-Pétersbourg

avec un Chasseur. Ile de Valaam [58]. Son sens aigu du détail est déjà remarquable et menace parfois l'équilibre de la composition, mais ici le personnage du chasseur nous attire irrésistiblement dans les bois scintillants d'or. Chichkine, comme nous l'avons déjà vu, aime faire de nombreux croquis en plein air au crayon. La charmante petite étude de *Tue-Mouches* [63] est le sujet automnal par excellence. Mais peut-être n'a-t-il pas choisi ce genre de sujet par

63- Ivan Chichkine

Tue-Mouches, étude
Huile sur toile.

hasard. Les chamans païens de l'ancienne Russie utilisent traditionnellement un constituant du tue-mouches pour provoquer des transes et des visions, et Chichkine connaît certainement le folklore de sa chère Russie.

66- Ivan Chichkine

Paysage de Polessié, 1884
Huile sur toile.
71,5 x 117,5 cm
Musée des Beaux Arts de Biélorussie, Minsk

L'amour de Chichkine pour les grands espaces et les ciels infinis trouve son expression dans *Paysage à Polessié*, une scène de septembre en Biélorussie. Le tableau intitulé *Matin dans une Forêt de Pins* [71] est une œuvre très appréciée qui montre la forêt à l'aube, alors que le soleil matinal dissipe la brume de l'automne. Sa popularité est due sans doute aussi à la famille d'ours (la mascotte russe) jouant et affourageant dans la forêt au centre de la toile. La fourrure des animaux et leurs griffes acérées sont magnifiquement rendues. La qualité poétique du tableau est telle que nous sommes sûrs de pouvoir entendre les brindilles craquer alors que la maman ourse se retourne de toute sa masse.

Le travail de la terre doit continuer à l'approche de l'automne. Mais on a toujours le temps de s'arrêter pour observer le vol des oiseaux migrateurs quittant ces contrées pour des pays plus chauds. Alexei Stepanov (1858 - 1923) réalise *Les grues en vol* [37] en

71- Ivan Chichkine

Matin dans une forêt de pins, 1889
Huile sur toile.
139 x 213 cm
Galerie Trétiakov, Moscou

Pages précédentes :
37- Alexei Stepanov

Les cigognes passent, 1891
Huile sur toile.
61,5 x 109,6 cm
Galerie Trétiakov, Moscou

1891, avec une perspective sans fin sur les marécages. Les chasseurs doivent également se presser à cette époque de l'année. Vassili Perov (1834 - 1882), représente dans *Halte de chasseurs* [25] les habitants ordinaires de la Russie vaquant

25- Vassili Perov

Halte de chasseurs, 1871
Huile sur toile.
119 x 183 cm
Galerie Trétakiov, Moscou

à leurs occupations, à leur aise dans le monde naturel qui les entoure. Les trois hommes en train de bavarder avec animation dans la nuit tombante, leurs besaces à leurs pieds, sont dépeints quelque peu brutalement mais avec beaucoup d'affection.

Le labour est une tâche essentielle de l'automne. Les larges ciels et les plaines sans fin des régions centrales, qui trouvent leur équivalent dans le caractère généreux des Russes, constituent la toile de fond de *Le labour* [43] de Mikhail Klodt (1865 - 1918). Klodt, avec Savrassov et

Chichkine, est l'un des premiers promoteurs du paysage russe. Les artistes du groupe du Monde de l'Art cherchent par la suite à transformer des endroits communs en révélant les qualités lyriques des traits les plus ordinaires

Ci-dessus :
43- Mikhail Klodt

Le labour, 1857
Huile sur toile. 47,5 x 81,5 cm
Musée russe,
Saint-Pétersbourg

de la campagne. Le sujet de Konstantin Somov, *Terres arables* [194], n'a en cela rien d'étonnant, mais les formes fortes et les tons chauds donnent à l'image une certaine poésie. Rien à voir avec le traitement que fait Martiros Sarian du même

194- Konstantin Somov

Terres arables, 1900
Huile sur carton. 31 x 73 cm
Musée des Beaux Arts
Radichtchev, Saratov

thème dans *Labour* [146], tableau où le dramatique paysage arménien et les couleurs éclatantes sont diamétralement opposés.

Le génie d'Ilia Repine apparaît sur les portraits de son ami et mentor Léon Tolstoï. Ils sont réalisés pendant une période de trente ans. L'une des facettes de Tolstoï qui interpelle particulièrement le peintre est cette vie de

159- Ilia Repine

Le laboureur. Léon Tolstoï labourant, 1887
Huile sur toile. 124 x 88 cm
Galerie Trétiakov, Moscou

« *paysan aristocrate* », qui alimente aussi la légende vivante imaginée par le public. Repine immortalise ce personnage remarquable, le montrant « *au naturel* », en train de chevaucher lourdement à travers ses terres. Le tableau intitulé *Tolstoï labourant* [159] (1887) est un véritable portrait qui réussit à montrer pourquoi Tolstoï est si attaché à sa terre : il fait presque partie de cette riche terre noire qu'il aime. L'écrivain lui-même déclare : « ... *On oublie que se nourrir de blé, de légumes et de fruits, que l'on a extraits du sol par son propre travail est la nourriture la plus agréable, la plus saine, et la plus naturelle, et que le travail grâce à ses propres muscles est une*

146- Martiros Sarian

Labour, 1929
Illustration pour le recueil Contes populaires arméniens
Encre de Chine sur papier.
17 x 12 cm
Musée Sarian, Erevan

condition de vie aussi nécessaire que l'oxygénation du sang par la respiration. » (extrait de *Qu'est-ce que l'Art?*).

Isaac Levitan, un autre grand maître de l'école du paysage des Ambulants a beaucoup à dire concernant

170- Isaac Levitan

Automne, 1896
Aquarelle et crayon sur papier. 31,5 x 44 cm
Galerie Trétiakov, Moscou

l'automne. Les couleurs dorées, les jours froids et piquants, la mélancolie de la saison sont parfaitement en harmonie avec son objectif artistique, c'est-à-dire révéler le caractère distinctif du paysage russe. Un croquis en pastel *d'Automne* [170] en fixe exactement l'humeur mélancolique. Dans son célèbre *Jour d'Automne. Sokolniki* [8], la mélancolie est plus personnalisée et le comportement triste du mince personnage marchant rapidement, tête penchée, trouve un écho dans la bourrasque de cette journée couverte. Est-elle d'humeur lugubre parce que l'été est terminé ou sa tristesse a-t-elle une cause inconnue? Cette œuvre précoce (1879) projette l'humeur de la femme sur son entourage dans un exemple magistral de la soi-disant « erreur pathétique », l'idée que la Nature est en symbiose avec nos émotions humaines.

A partir de ce moment Levitan devient infatigable dans sa recherche de nouveaux motifs et de nouvelles ambiances qui pourraient montrer la Nature russe dans toute sa

8- Isaac Levitan

Jour d'automne à Sokolniki, 1879
Huile sur toile. 63,5 x 50 cm
Galerie Trétiakov, Moscou

9- Isaac Levitan

Meule et village près d'une rivière, début des années 1880
Huile sur toile.
19,7 x 33,3 cm,
Musée russe,
Saint-Pétersbourg

gloire. *Meule et village près d'une rivière* [9], est une scène d'automne baignée par le soleil. Peinte quelques années plus tard, elle bannit tout sentiment de mélancolie : le petit hameau semble parfaitement autonome, le blé est déjà récolté et mis en meules. Le tableau intitulé *Automne doré. Hameau* [14], peint en 1889, présente un traitement bien plus Impressionniste du même thème.

Levitan n'hésite pas à exprimer la face sombre de l'âme russe dans ses paysages. L'un des plus impressionnants est *La Route de Vladimirka* [16], datant de 1892, qui serpente kilomètre après kilomètre à travers les plaines désolées et sans caractère. C'est la route qu'empruntent les prisonniers exilés en Sibérie. Ils y marchent les chaînes aux pieds pendant tout le périple. L'église visible au loin est une touche ironique ; il n'y a pas d'aide à attendre de Dieu pour

14- Isaac Levitan

Automne doré. Hameau, 1889
Huile sur toile. 43 x 67,2 cm
Museé russe, Saint-Pétersbourg

16- Isaac Levitan

La route de Vladimirka, 1892
Huile sur toile. 79 x 123 cm
Galerie Trétiakov, Moscou

18- Isaac Levitan

Il fait du vent, 1897,
Huile sur toile. 82 x 86,5 cm
Galerie Trétiakov, Moscou

176- Isaac Levitan

Brouillard, automne, 1899
Aquarelle et blanc de céruse sur carton. 48 x 60 cm
Musée russe, Saint-Pétersbourg

les pauvres créatures condamnées à une existence de misère. C'est presque un soulagement de se tourner vers *Il fait du vent* [18], tableau dans lequel l'arrivée de l'orage va certainement causer la perte de la moisson non récoltée. C'est un malheur, mais cela n'a rien à voir avec la tragédie humaine de la route de Vladimirka et de son objectif, la « Maison des Morts » de Dostoïevski.

Notre dernier exemple de l'extraordinaire diversité du travail de Levitan est le merveilleux croquis à l'aquarelle de

152- Martiros Sarian

Octobre à Erevan, 1961
Huile sur toile. 79 x 102 cm
Musée des Beaux Arts des peuples de l'Orient, Moscou

142- Martiros Sarian

Rochers de Sourb-Hatch à Kalaki, 1914
Huile sur toile collée sur carton. 36 x 47,5 cm
Musée des Beaux Arts, Yaroslavl

Brouillard. Automne [176] datant de 1899. C'est un tour de force, un monde de magie dans lequel la délicatesse des tons, le rendu précis de l'imprécis et le lyrisme pur sont stupéfiants.

L'automne dans le sud est tout à fait saisissant. *Octobre à Erevan* [152] est l'une des compositions les plus brillamment colorées de Martiros Sarian, peinte en 1961 à la fin de sa carrière. L'abondance de fruits mûrs contre la toile de fond des montagnes dans le coucher de soleil intense et les ombres est une offre de remerciement pour les richesses octroyées par la Nature. *Les rochers de Sourb-Hatch à Kalaki* [142], peint en 1914, déploient une grandeur et une magnificence spatiale, dans une gamme de couleurs chaudes qu'il affectionne particulièrement. En 1928, il montre avec *Journée brumeuse d'automne* [147] qu'il est capable de retenue, mais ce sont ses couleurs qui suscitent une réponse immédiate, de grands cris de joie qui élèvent l'âme de son Arménie natale.

Valentin Serov est principalement connu pour ses magnifiques portraits, mais son immense talent lui permet de réaliser des paysages des plus convaincants. *Etang à Abramtsevo* [105], tableau datant de 1886, traite le même genre de sujet que beaucoup des représentations de forêts de Chichkine, mais d'un point de vue Impressionniste.

147- Martiros Sarian

Journée brumeuse d'automne, 1928
Huile sur toile. 59 x 73 cm
Musée Sarian, Erevan

105- Valentin Serov

Etang à Abramtsevo - Etude, 1886
Huile sur bois.
34,5 x 24,5 cm
Galerie Trétiakov, Moscou

A partir des années 1880, il se concentre davantage sur ce genre pictural, alors que son attirance pour le thème de la vie paysanne dans les terres grandit. Une scène rurale de la vie de tous les jours vibre d'amour pour le paysage automnal (*Octobre à Domotkanovo* [107], 1895), tandis que

107- Valentin Serov

Octobre. Domoktanovo, 1895
Huile sur toile.
48,5 x 70,7 cm
Galerie Trétiakov, Moscou

108- Valentin Serov

Village, 1898
Gouache et aquarelle sur papier collé sur carton.
25,5 x 37,5 cm
Galerie Trétiakov, Moscou

89- Igor Grabar

La neige de septembre, 1903
Galerie Trétiakov, Moscou

Un Village [108] (1898) nous montre l'artiste en accord total avec la vie rude des maisons ternes et délabrées.

Des artistes moins connus mais néanmoins intéressants tels que Igor Grabar (1871 - 1960) et Stanislas Joukovski, personnifient la tendance décorative suivant le mouvement impressionniste russe. *La Neige de*

Septembre [89] de Grabar datant de 1903 avec ses grosses gouttes de peinture produit un effet presque tachiste. Personne ne souhaite voir de la neige si tôt dans l'année, mais la femme portant des bidons de lait qui marche d'un pas décidé, semble dire, d'une façon très russe, « *Faisons au mieux* ». L'automne de Joukovski est plus clément. La rivière qu'il représente dans *Automne* [179] contient encore un chaud soleil et le bleu de la rivière n'est pas le bleu glacé de l'hiver. Les lourds coups de peinture de *Chemin*

179- Stanislav Joukovski
L'Automne

en Automne [85] permettent aux arbres aux feuilles mordorées d'attirer le regard, bien davantage que la route sillonnant vers les hauteurs de la colline. Vera Ermolaïeva (1893 - 1938) fait le portrait d'une paysanne avec son enfant comme s'ils étaient l'essence même de la terre russe [128]. La femme est habillée d'une couleur brune automnale et porte un râteau. Elle représente une sorte de

128- Vera Ermolaïeva

Paysanne avec râteau et enfant, 1933
Gouache sur papier.
29,5 x 22 cm

solide sens de la terre, à une époque où de telles fantaisies ne sont pas encouragées.

S'échappant dans une autre dimension, Vassili Kandinsky nous emporte dans le royaume de l'abstrait *(Composition. Paysage* [134], 1915). Mais, bien qu'il ait rompu avec le monde figuratif, cette œuvre contient un fort sentiment de vitalité et un dynamisme qui fait partie du monde naturel. Les couleurs rougeoyantes, les formes organiques perçues sans effort par l'œil, l'impression que la composition entière est encerclée par la chaleur du soleil pendant les moissons, tout cela procure un climat adéquat pour notre quête de l'esprit de l'automne.

134- Vassili Kandinsky

Composition, paysage, 1915
Blanc de céruse, aquarelle et encre de Chine sur papier
Musée russe, Saint-Pétersbourg

Grand-père gel

Dans le long poème de Pouchkine, *Eugène Oniéguine*, Tatiana, l'héroïne...

Etait déjà une femme entièrement russe ; ainsi
Elle aimait cette saison, l'hiver russe
Et sa splendeur froide et blanche.

106- Valentin Serov

L'hiver à Abramtsevo,
Maison - Etude, 1886
Huile sur bois. 37 x 29 cm
Collection P. Krylov, Moscou

Les Russes pensent que l'hiver leur appartient tout particulièrement. Les hivers du Nord ont donné naissance à de nombreux contes traditionnels et des légendes, telles que l'histoire de Grand-Père Gel,

73- Ivan Chichkine

« Dans la froide solitude du Nord », 1891
D'après la poésie de Lermontov
Huile sur toile. 161 x 118 cm
Musée d'art russe, Kiev

72- Ivan Chichkine

Hiver, 1890
Huile sur toile. 125,5 x 204 cm
Musée russe,
Saint-Pétersbourg

Printemps et leur fille Vierge des Neiges, qui ne doit pas être touchée par la chaleur de peur de fondre. Beaucoup de compositeurs ont été inspirés par ces contes. Rimsky-Korsakov a écrit un opéra s'inspirant de la légende de la Vierge des Neiges. La fée dans *Casse-Noisettes* est une sorte de princesse de glace et sa musique sonne et vibre comme la surface gelée d'un lac.

Cette personnification de la nature est typiquement russe, et les grands paysagistes ont introduit dans leurs tableaux l'hiver et son esprit. L'arbre ployant gracieusement sous son lourd manteau de neige dans

Pages suivantes :
7- Isaac Levitan

Parc sous la neige, années 1880
Gouache et crayon sur carton. 29,2 x 35,1 cm
Musée russe,
Saint-Pétersbourg

175- Isaac Levitan

Village, hiver, 1877-1878
Huile sur toile. 23,5 x 34,5 cm
Musée des Beaux Arts, Toula

« *Dans la froide solitude du Nord* » [73] de Chichkine semble être animé, prêt à étendre ses branches et à danser au clair de lune. La forêt tranquille et silencieuse dans *Hiver* [72] est habitée d'esprits, peut-être malveillants, dont le voyageur est conscient mais qu'il ne peut réellement voir. Les scènes d'hiver de Isaac Levitan sont moins « sauvages ». Sa forêt de *Parc sous la neige* [7] est amicale et « domestiquée ». Il a choisi de la représenter en plein soleil dans un ciel d'un bleu turquoise typique des jours d'hiver glacés. Son *Village. Hiver* [175] est installé confortablement dans une journée ennuyeuse et morose, les petites maisons sont presque ensevelies par la neige et seule une âme courageuse s'aventure

A droite :
88- Igor Grabar

Azur de février, 1904
Galerie Trétiakov, Moscou

dans le froid. Dans une veine différente, Igor Grabar traite la forêt de *Azur de février* [88] d'une façon purement décorative. Les branches, les troncs et les feuilles mortes forment un motif abstrait contre le bleu.

La forte tradition des peintures historique et de genre qui se développe à partir des années 1820 produit des œuvres magnifiques au milieu du siècle. Vassili Sourikov

(1848 - 1916) est un exposant de la catégorie historique. Il peint plusieurs chefs-d'œuvre, dont la *Boïarynia Morozova* et *Le Matin de l'exécution des Streltsy.* Il excelle de la même façon dans ce que l'on peut appeler le « genre historique », comme le prouve son vivifiant *La prise d'une forteresse de neige* [119] (1891). Né en Sibérie dans une famille cosaque, Sourikov est immensément fier de ses ancêtres, à qui il attribue un mélange de patriotisme et d'indépendance. Enfant, il a été témoin d'une coutume extraordinaire, sensée être une tradition cosaque pour

119- Vassili Sourikov

La prise d'une forteresse de neige, 1891
Huile sur toile.
156 x 282 cm
Musée russe,
Saint-Pétersbourg.

commémorer leur conquête de la Sibérie aux XVIe et XVIIe siècles. Chaque année, à la veille du Carême, les gens de Krasnoyarsk construisent une forteresse à partir de blocs de neige et de glace. Par la suite, deux équipes sont formées. Les défenseurs s'installent à l'intérieur avec des balais et des râteaux. Les attaquants, à dos de cheval, tentent de briser la traverse de la porte de neige. Sourikov et son frère arrivent à trouver des gens encore capables de

39- Sergei Ivanov

Arrivée des étrangers, XVIIe siècle, 1901
Huile sur toile.
151,5 x 232 cm
Galerie Trétiakov, Moscou

112- Valentin Serov

Pierre Ier à la chasse à courre, 1902
Détrempe sur carton.
29 x 50 cm
Musée russe,
Saint-Pétersbourg

bâtir la forteresse, et sa reconstruction attire une foule incroyable. Les transcriptions joyeuses de Sourikov capturent l'énergie phénoménale des participants et l'enthousiasme excité des spectateurs, resplendissants de jeunesse et de santé, leurs vêtements colorés ajoutant à la gaieté de la scène. C'est une représentation épique de l'esprit russe dans son aspect le plus vital et le plus ludique.

Sergueï Ivanov (1864 - 1910) se spécialise aussi dans le « genre historique ». Il présente un aspect moins attrayant du caractère russe, mélange de xénophobie et de superstition irréfléchie dans *Arrivée des étrangers au XVIIe siècle* [39]. La composition est étrangement mal proportionnée, et elle comporte un grand espace vide au centre. Les personnages principaux sont à moitié coupés par le bord du tableau, procédé qui met l'accent sur l'urgence avec laquelle le vieil homme presse sa fille de s'éloigner des influences étrangères. Les étrangers semblent consternés par cet accueil hostile et par l'ambiance impitoyable.

Les premières incursions de Valentin Serov dans le domaine de la peinture historique sont des illustrations pour un livre, *Chasse royale en Russie* de Nikolaï Koutepov. Elles donnent un exemple admirable des principes de l'Académie du Monde de l'Art à propos de l'absence de reliefs et l'attention particulière portée au rythme des

22- Vassili Perov

Troïka. Jeunes apprentis transportant de l'eau, 1866

lignes et à l'équilibre de la composition. *Pierre Ier à la chasse à courre* [112] est une évocation habile du style et de l'esprit du XVIIIe siècle, révélant le solide sens de l'histoire de l'artiste, sa façon de rendre le mouvement et son utilisation intelligente de la couleur.

23- Vassili Perov

Les derniers adieux, 1865

35- Victor Vasnetsov

D'un appartement à l'autre, 1876
Huile sur toile. 58,3 x 67,2 cm
Galerie Trétiakov, Moscou

ТРАКТИРЪ

Pages précédentes :
21- Léonid Solomatkine

Devant une taverne, 1873

Les véritables tableaux de genre paraissent plus expressifs lorsqu'ils représentent le froid et la sévérité des conditions hivernales. Vassili Perov est l'un des premiers peintres à exploiter les ressources de ce climat inhospitalier. Dans *Troïka. Jeunes apprentis transportant de*

29- Vladimir Makovski

Asile de nuit. 1889
Huile sur toile. 94 x 143 cm
Musée russe,
Saint-Pétersbourg

l'eau [22] peint en 1866, il exprime clairement comment le temps a augmenté les difficultés des enfants tirant leur lourd fardeau. Leurs visages désespérés, aux traits tirés, expriment seulement le désir de rentrer chez eux et de se réchauffer devant un feu. Un critique décrit comment les motifs de neige, de glace et de brouillard deviennent les

« porteurs de sentiment tragique ». Ceci peut être également appliqué aux *Derniers Adieux* [23]. Ici, la tête penchée montre une veuve à peine capable d'encourager son lourd cheval. Les yeux tristes et fixes des enfants endeuillés expriment un regret qui n'a nul besoin d'être accentué.

Un autre sujet tragique est traité dans *D'un appartement à l'autre* [35] par l'Ambulant Victor Vasnetsov (1848 - 1926). Vasnetsov croit que chaque œuvre d'art exprime le caractère d'un peuple, en embrassant le passé, le présent et le futur. Il immortalise certainement un sentiment très russe dans sa scène représentant deux

84- Stanislav Joukovski

Départ des invités au crépuscule, 1902
Huile sur toile. 87 x 143,5 cm
Musée d'art d'Odessa

104- Valentin Serov

L'hiver à Abramtsevo - Eglise, 1886
Huile sur toile. 20 x 15,5 cm
Galerie Trétiakov, Moscou

personnes âgées forcées de quitter leur domicile, chancelant dans la neige avec leur vieux chien décharné.

Cette face lugubre de l'âme russe est naturellement mise en avant en hiver. Le soleil qui pointe, la perspective des portes ouvertes et d'un feu crépitant, rien de cela ne semble réconforter la petite foule patientant à l'extérieur dans le froid de *Devant une taverne* [21]. Dans *Asile de nuit* [29]

de Vladimir Makovski, un état d'esprit plus positif s'affirme grâce à la variété de personnages qui vaquent à leurs occupations quotidiennes.

La bonhomie, les réjouissances et la compagnie des amis constituent une nourriture essentielle de l'âme russe. Une réunion conviviale vient à l'évidence de se terminer

106- Valentin Serov

L'hiver à Abramtsevo, Maison - Etude, 1886
Huile sur bois. 37 x 29 cm
Collection P. Krylov, Moscou

109- Valentin Serov

En hiver, 1898
Pastel et gouache sur carton.
51 x 68 cm
Musée russe,
Saint-Pétersbourg

dans le *Départ des invités au crépuscule* [84] de Stanislav Joukovski.

« *Le parc nous entourait, aussi tranquille que la campagne ; les corbeaux dispersaient le givre en s'installant sur les lourdes branches des sapins. Leur croassement résonnait comme des craquements de bois. Les chiens, provenant du chenil dans la clairière, où les lumières brillaient dans la nuit tombante, couraient sur la route* » (Extrait de *Docteur Jivago,* Pasternak, adaptation).

188- Valentin Serov

Le rinçage du linge
Etude, 1901
Huile sur carton 47,5 x 66 cm

Valentin Serov est considéré à juste titre comme le premier maître de la peinture russe. Il lui incombe d'effectuer la transition vers une nouvelle esthétique au début du XXe siècle, vers un nouveau symbolisme qui permettrait à la nouvelle génération d'être le reflet d'un nouveau monde. Né à Saint Pétersbourg en 1865, il effectue ses études à l'Académie puis à Moscou avec Repine. Il expose avec les Ambulants à partir de 1890 et

103- Valentin Serov

Poulains à l'abreuvoir. Domotkanovo, 1904
Pastel sur papier collé sur carton. 40 x 63,8 cm
Galerie Trétiakov, Moscou

est un membre actif du cercle des artistes habitant la propriété de l'industriel Xavva Mamontov à Abramtsevo, près de Moscou. Deux de ses études à l'huile portant sur

Pages suivantes :
115- Boris Koustodiev

Le Carnaval, 1916
Huile sur toile. 61 x 123 cm
Galerie Trétiakov, Moscou.

45- Sergei Svetoslavsky

Vue de la fenêtre de l'Ecole de peinture, sculpture et architecture de Moscou, 1878
Huile sur toile. 53 x 74 cm
Galerie Trétiakov, Moscou

93- Vassili Sourikov

Le boulevard Zoubov en hiver
Huile sur toile. 42 x 30 cm
Galerie Trétiakov, Moscou

Дормидонтов 931-34

125- Rudolph Frentz

La perspective Nevski de nuit, cocher, 1923
Huile sur toile. 63,5 x 81 cm

126- Nikolaï Dormidontov

Les musiciens, 1931-1934
Huile sur toile, 76 x 60 cm